★影响世界的人★

孔子

★ 张玲霞 著　林鸿尧 绘

译林出版社

图书在版编目(CIP)数据

孔子 / 张玲霞著. —南京：译林出版社，2013.10
（影响世界的人）
ISBN 978-7-5447-4268-9

Ⅰ. ①孔… Ⅱ. ①张… Ⅲ. ①孔丘（前551~前479）-传记-少儿读物 Ⅳ. ①B222.2-49

中国版本图书馆CIP数据核字（2013）第192831号

书　　名　孔　子
作　　者　张玲霞
责任编辑　陈　锐
原文出版　联经出版事业公司
出版发行　凤凰出版传媒股份有限公司
　　　　　译林出版社
出版社地址　南京市湖南路1号A楼，邮编：210009
电子邮箱　yilin@yilin.com
出版社网址　http://www.yilin.com
经　　销　凤凰出版传媒股份有限公司
印　　刷　江苏凤凰盐城印刷有限公司
开　　本　889毫米×635毫米　1/16
印　　张　12.25
插　　页　4
字　　数　107千
版　　次　2013年10月第1版　2013年10月第1次印刷
书　　号　ISBN 978-7-5447-4268-9
定　　价　25.00元
译林版图书若有印装错误可向出版社调换
（电话：025-83658316）

导读

台东大学儿童文学研究所
所长　杜明城

研究生在录制一档采访节目时丢出了这么一道难题："在个人的读书生涯中，哪一本书影响最大？"我的脑海中马上浮现一长串的文学书目，有唯美的，有趣味的，有悲剧的，大抵个人的阅读书单反映了自身的品位与偏见，但真要只能选一本的话则不免顾此失彼、挂一而漏万了。我想一本，接着就放弃一本，真是既苦恼又有趣。其实，这问题真正的困难在于他们要你去"想"这么一本书，而真正堪称影响深远的著作，绝对不会只存留在读者的思想层面，它必然深入到我们的意识底层，无时无刻不在指引着我们的受想行识，我们借它呼吸而察觉不到空气的存在。念头转到这里，我不禁哑然失笑，《论语》，答案不正是那么简单而自明吗？

我想一定有许多基督徒、穆斯林和我一样，被问到类似的问题

时未能立即说出《圣经》和《古兰经》，因为答案太过理所当然，可以说明显到多此一问。孔子与耶稣、释迦牟尼、穆罕默德并列为影响世界历史的前五人，他是儒家的创始人，也是中国思想文化的集大成者。但与其余三位圣哲不同的是，孔子不是任何宗教的开创者，相反，《影响世界历史一百位名人》的作者哈特（Michael H. Hart）认为，孔子“极少谈论神，拒绝讨论来世，避免任何形式的形而上学。他是一位重视个人伦理道德和行为的现世哲学家”。至于儒家学说影响何以如此之大，哈特认为，那与孔子本人品格无可挑剔，以及不强加于人有关，历史上能够和本国人民如此接近的思想家极为罕见。

为这样超凡入圣的伟大人物作传，自然是一项艰巨无比的挑战。思想家林语堂和日本作家井上靖都曾经写过孔子的传记，两人笔法各有千秋，也都写下了无可替代的作品。但他们设想的写作对象分别是英、日语的成人读者，我们必须通过翻译才能读到这两本杰作。中文世界的年轻读者，要是没有人特别为他们书写这伟大文化里最顶尖人物的传记，岂不怪哉？张玲霞小姐撰写的《孔子》，可以说是很恰如其分地弥补了这个缺憾。

写孔子传记有几项必须先克服的难题，首先，孔子“立德、立功、立言”[1]三不朽，可归为世界级的圣哲，这种人物类型很容易被神格化，如此一来，就背离了孔子学说入世的特质，也无法彰显他有教

1　立德指如何做人，立功指如何做事，立言指如何做学问。语出《左传·襄公二十四年》。

无类[1]的平民精神。但若没有适当的事例来展现伟人的风格，则又容易失于平淡。其次则是史料的问题，孔子的传记最权威的资料来源当然是司马迁的《史记》，但要将孔子的生平推展成一部血脉相连的故事，并且贯穿其思想的发展，这需要下一番考证的功夫，也要有过人的想象力，更需要对孔子的学说彻底融会贯通才做得到。其三，这是为青少年写的传记，文句必须更加简洁易读，原有的词语必须经过转化、割舍。此外，必须在不违背史实的前提下，读来富有生动的故事性。整体而言，张玲霞小姐的这本《孔子》处处见其慧心，很有创意地将上述难题一一克服。

这本书基本上是用小说的笔法来塑造孔子的形象，作者以伟人的生平、功业为经，以其思想学说为纬，巧妙地交织出孔子可亲而又一丝不苟的风貌。作者将《论语》中格言般的师生对话，镶入故事的情节，使读者能清晰地理解思想产生的时代脉络。孔子所处的春秋时代，当时的社会活动、贵族与平民的关系、君臣的礼法、复杂的国际形势，作者皆能借主人翁的言行一一加以呈现。读了《孔子》，也等于从侧面阅读了当时的历史。作者简洁地交待了孔子成为儒者的由来，让读者明白所谓儒者原来是一项从事礼仪的行业。孔子尚礼，将礼法的价值发挥得淋漓尽致，终于开创了中国最重要的思想流派。所谓“君子不器”，作者笔下的孔子确实不是学院式的玄想家，而是经世济用的大才，不管是“委吏”、“乘田吏”、“邑宰”或者是“大司空”、

1 对各类人平等看待，都施以教育。语出《论语·卫灵公》。

"大司寇"，任何不同的职务都能挥洒自如。孔子与鲁定公前去赴晏婴与齐景公夹谷会盟的那一段内容，描写齐鲁的冲突、小国外交的困境以及人物的机锋与风采，写得栩栩如生，颇有名家风范，也让读者领悟到孔子的大勇。

孔子与同时代人的互动充分表现出他的治学态度，同师襄学琴，借音乐以悟道。向老子问礼那一段至为精彩，写老子赠孔子的珍言，让我们见识到这两位中国历史上最重要的思想家如何惺惺相惜。而孔子以"龙"比喻老子，充满景仰之情，智者的气度在作者笔下相互辉映。孔子豁达的人生观，都由生活中的微言微行一览无遗，为女儿、侄女择婿，除了道德的考虑，也使读者见识到他的幽默。与学生的谈话，令人领会到智者确能不拘一格。当然，圣哲自然也有较常人更为深沉的苦恼，孔子也有道不能行的无奈，也有被困于陈、蔡，有如丧家之犬的时候。作者不为贤者讳，唯其如此，始能如实地见证孔子思想的平易近人，也才不至于将孔子神格化。

正像读莫扎特传，是要去聆听他的音乐一样。这本传记最主要的用意，当然还是希望年轻人能借此而深入《论语》的堂奥，直接与圣人对话。《孔子》已经圆满地完成了仙人指路的工作，接下来就要看年轻的读者如何沿路寻幽探胜了。

目录 CONTENTS

有为有守的青年

政绩卓著的中壮年

周游列国的中老年

发愤教学著述的晚年

前言

孔子是我国历史上非常著名的人物，被尊为“大成至圣先师”、“至圣先师”、“文宣王”、“万世师表”、“圣人”等，从君王到百姓，有相当多的人拥戴他、推崇他。汉代著名的史学家司马迁甚至在他的名著《史记》[1]里，把这位已经如同平民身份的人物，提列到与王公诸侯平行的地位。

孔子一生究竟有什么样的伟大事迹，让大家这样的崇敬他呢？

1 《史记》是中国相当著名的史书，作者是汉代的史官司马迁。

商汤的子孙

孔子的先祖是微子启

微子启，名“开”，是商汤的后人帝乙的大儿子，帝乙赐给他“微”（山东微山一带）这块封地，人称“微子开”。汉时为了避汉景帝（刘开）的名讳，改称为“微子启”。

“微子启”只是一位“庶子”，因为他母亲是帝乙的妃子。帝乙虽然很想把帝位传给他，但一些重视制度的史官们强力阻止，只好将帝位传给具有正统继位资格的“嫡子”（皇后生的儿子）——子辛，也就是微子启同父异母的弟弟、商朝最后也是最暴虐的纣王。

据说纣王能说善道、智力过人，生得健壮有力，可以空手和猛兽搏斗，而且好大喜功，在位期间降服了许多小国，声威震动到远方的诸侯。但是，纣王宠爱妲己，建造了一座摘星楼，整天和妲己在楼中逸乐；在宫内悬肉成林，掘酒池，让人任意在其中吃喝玩乐，每天听着靡靡之音，不理朝政；还让人从各地找来奇珍异兽，豢养在别园里供他欣赏。不但如此，他生性残暴，在宫中铸炮柱，专门对忠臣良民进行“炮烙”的刑罚；又骄傲自大，从来不听忠言。

这一天，一位名叫“箕子”的贵族，素有贤名，进宫直言劝谏纣王不要贪恋女色，应以国事为重。纣王听后非常生气，把“箕子”贬为奴隶，关进监狱，聪明的“箕子”靠着装疯卖傻才保住性命。

“微子启”看不下去，有一天鼓起勇气进宫劝说：“陛下，希望您以天下苍生为重，不要再贪图逸乐……如果你再不收敛，恐怕商朝的社稷就要毁在您的手里……”

纣王不以为然地回答说：“哈哈哈！皇兄，你也太多虑了吧！我在位的这些年，疆土不断地扩大，远方的诸侯没有不来臣服的，谁敢和我作对、打我商朝江山的主意？”

微子启正要反驳，纣王皱眉阻断了他的话，不可一世地说：“皇兄，你尽管自自在在地过你的舒服日子，何必为了这些琐事和我这个兄弟过不去呢？我告诉你，其实我很不想听到这些话……这些话听了让人心烦！我希望你以后别再对我说这些话了，否则……休怪本王不顾念兄弟之情……”

之后纣王又转头对诸位大臣说：“今后也不准你们任何一个人前来劝说，否则一概重罪论处。”

众臣子们唯唯诺诺，不敢有人再多说话。

这时，众文武官之中，忽然走出一位老人，目光炯炯有神，他不

是别人，正是纣王的叔叔比干。比干一出列，并不理会纣王刚下达的旨意，又是一番苦口婆心要纣王检点行为、不要再残害百姓的话。

纣王越听越不耐烦，不等比干说完，就拂袖打断比干的话，说：“够了！皇叔，你公然不理会我的命令，滔滔不绝地说我的不是，难道不把本王的话放在心里？”

比干连忙跪倒，但态度坚定地说：“臣不敢！臣的一片赤心，皇天可表！”

这时，妲己在纣王旁边小声地嘀咕说：“哼！心在肚腹里，谁知道是黑是赤呢？”

纣王听了，一时被挑动情绪，忽然暴怒起来，说：“好！皇叔，我倒要看看你的心是不是赤的。来人啊！立即剖开他的心，让我瞧瞧到底是什么颜色！”

殿前卫士不由分说，立刻上前把比干架了起来。

宫内众臣一片震动，比干更是惊得非同小可，差点没气晕过去。他定一定神，站稳身子继续对纣王说：“臣死不足惜啊！只恐怕商朝的社稷就要毁在你的手里……我……我看到时候……你用、用什么面目去见先祖……”

殿前卫士把比干硬拖出去，一会儿捧进一颗血淋淋的心进来复命。文武百官见了一片哗然，有的掩目，有的掩鼻。一旁的微子启更是痛心不已，待要上前责问，众臣急忙把他拦住。

那纣王因为刚才一时的激动，杀了叔叔，这时见到叔叔鲜血淋漓的心，仿佛还在跳动，不觉头痛起来，又唯恐众臣集合起来谴责他，便宣旨罢朝回宫。

微子启回到住处，对纣王极度失望，深知再这样下去，商朝王室的宗脉，一定会断送在他手里。思前想后，为了让商王室的命脉持续，决定举家离开，另找地方隐姓埋名，繁衍子孙。

没多久，周武王姬发发兵讨伐纣王，两军在京郊的牧野（河南汲县）大战。纣王的军队虽然多，但军心不齐、人心不附，很快就被打败，最后在京都朝歌（河南淇县）自焚而死。

商朝灭亡后，周武王即帝位，把朝鲜赐给箕子；把邶（河南淇县南边）封给纣王的儿子武庚，让他继承商的宗祀。但为防止武庚叛变，在邶的西、南方，分派武王的兄弟管叔、蔡叔、霍叔就近监视，称为“三监”。

周武王逝世后，幼子姬通即位，是为周成王，由周公辅政。周公是周文王的第四个儿子姬旦，也是成王的叔叔，因为封地在周城（陕西岐山县附近），被尊称为“周公”。

武庚一看幼主新立，有机可乘，就联合“三监”一起作乱，最后被周公讨平。周公将武庚判死，请纣王的哥哥微子启回来，在邶地继续奉祀、繁衍商朝宗室“子”姓的香火，这便是后来的宋国。

五世祖木金父由宋迁鲁

周公讨伐武庚之后，不希望臣子叛乱的事情再度发生，便制定了许多礼制，称为“周礼”，让君臣有别并有阶级之分：天子最高，只有天子可以称王，天下都归天子所有，统有六军，天子之位由嫡长子继承，其余的分封为诸侯。

诸侯又分为公、侯、伯、子、男等爵位，按照爵位的高低，分封土地和人民。

诸侯的爵位也是由嫡长子继承，其余封为大夫，诸侯也可以把土地分封给大夫，称为“采邑”。大夫同样由嫡长子继承，其余的称为“贵族”，贵族就不再分封土地给他们。

微子启建立宋国一百多年后，他的第五代传人弗父何把爵位让给弟弟鲋祀，自己则由诸侯降格为大夫。弗父何的玄孙[1]正考父，历任宋戴公、武公、宣公的上卿，以“谦虚恭顺”闻名于世。

宋国到了襄公时，有意图谋霸业，但是攻伐郑国时，在泓水被楚国打败，襄公中箭而死，霸业不成。之后又出了乱臣贼子宋万，想弑君夺位，被微子启的后人叔大心出兵讨平。

一段时间后，大夫华督想谋反弑君、杀死上卿正考父，连正考父的儿子孔父嘉也不放过。孔父嘉的儿子木金父唯恐华督会继续对他们的家族不利，便举家迁离宋国。

1 玄孙指孙子的孙子。

“我们这样突然离开，能迁到哪里去呢？”木金父的家人茫然地问着。

木金父徘徊了许久，对家人说：“先祖父一向谦恭重礼，我认为我们也应该承袭这一好的传统。不如我们迁移到鲁国去吧！鲁国是周武王分封给周公的领地，虽然后来周公忙于辅佐成王，将鲁国国事全权交给长子伯禽管理，但伯禽很能遵守周公设立的体制，使鲁国成为当时最尚礼的国家，是各国的表率。我们到了那里，再把我们的家传礼教发展起来，一定不会格格不入的。”

家人听了都表示赞同。

于是木金父便火速准备，举家从宋国迁移到鲁国的陬邑[1]，距离鲁国首都曲阜只有十多里路。

全家住定后，木金父又对家人说：“为了避人耳目，我们最好改名换姓。”

“……要改什么姓好呢？”家人问。

木金父沉思了一阵子，然后说：“这样好了，我们原来姓‘子’，又是帝乙的后代，就把‘子、乙’两字合成的‘孔’字，作为我们的姓氏，大家觉得如何？”

家人都拍手叫好。就这样，孔氏家族在鲁国陬邑繁衍下来。

1 邑是古代划分区域的名称。

父亲老年得子

父亲孔纥是大力士

孔家到了木金父的玄孙孔纥（即叔梁纥，孔子的父亲）这一代，宗族繁衍非常多，虽然几代人中，一直曾有人在鲁国为官，但已经空有宋国贵族之名，经济生活的条件，与布衣百姓没有两样。

孔纥所在的年代是春秋战国时期[1]，周天子的权力已经丧失，无法号令诸侯。而且诸侯的权力渐渐凌驾于天子之上，周天子形同虚设；卿大夫也效法起诸侯，谋权篡位的事件层出不穷，战事频繁，连周公当初所定的体制，也都起不了作用。之后，各国诸侯之间更不

1 春秋战国时期是指周平王迁移东都洛阳之后，分为两期，前期是指公元前770年至前476年间，差不多是孔子《春秋》中所记载的时期，因而被称为“春秋时期”。后期是指前476年前至前221年（秦统一六国），因为各国征战连连，称为“战国时期”。

逼陽城

断地扩充军力，想让国家强盛，彼此之间更是为了夺权、拥地，互相攻伐割据。

身高十尺[1]、孔武有力的孔纥，正是此时军中急需的人才，很容易便在鲁国军中找到参军的职缺。

公元前563年，鲁襄公派大将孟孙蔑攻打逼阳城。原以为不消几日就可以把小小的逼阳城攻下，可是连攻数日，鲁军根本进不了城门，孟孙蔑心焦如焚。

一天，逼阳城忽然有了不同的动静。

“逼阳城的城门大开了！”几位鲁国士兵大叫说。

鲁国将军孟孙蔑一看，逼阳城城门果然开了，不但如此，连在城墙上守卫的人都不见了。孟孙蔑大喜，认为这是逼阳城民害怕鲁国大军压境，已经弃城逃走的迹象，于是下令：“众将士！进城！”

鲁国兵士听令，十几辆战车立刻轰隆隆地大举开进城去。

忽然，逼阳城的闸门慢慢落下，城内四周杀出无数的城民，像瓮中捉鳖似的，轻而易举地夺车、擒人，鲁军猝不及防，顿时大乱。

孟孙蔑这才知道中了逼阳城民的空城计，但为时已晚，仓促之中想无对策，急得跳脚。城那边已经冲进门内的鲁兵，更是以为性命就要不保，恐惧加上慌乱，个个愁眉不展、心焦不已。

这时候，城门下忽然闪出一员大汉，身高约有十尺，龇牙咧嘴地用两手托住闸门，大喊着：“鲁军兄弟们！快、快退出去啊！

1 以前的尺比现在小，当时男子的身高约七尺。

呀——”

乱成一团的鲁兵心中大喜，有如急流中抓到树藤，出现了一线生机。定睛一看，那人正是平日里以力大驰名的孔纥参军。

大家向闸门退去，一个个钻出了城门，一些人在闸门旁护住孔纥，使他免遭敌人毒手。待剩下的鲁兵差不多都逃出来了，孔纥才放手。只听见砰一声闸门应声落下，众人长嘘了一口气，庆幸捡回一条性命，然后与接应的鲁兵快奔回营去。

回营后，众将士把孔纥团团围住，合力把他向上抛丢，兴奋得不得了，直到孟孙将军出现，众人的声音才稍为平息。

“各位兄弟，今天幸亏孔参军撑住闸门，救出这许多兄弟，我军才免于损兵折将，功劳最大，我一定要奏明主公，加以重赏。”孟孙将军说。

“不！不！兄弟有难，孔纥理当解救，怎敢劳烦将军向主公讨赏，千万使不得！使不得啊！”孔纥腼腆地推辞着。

鲁兵哪里肯依，有人说：“今天若不是孔参军施救，非但我们性命不保，恐怕鲁国要增添许多孤儿、寡妇了。孔参军这一举，救下的人可不止眼前看到的这些人而已，他的功劳伟大，理应受赏。”

“没错！该赏！该赏！”

众人阵阵的谢声，把孔纥夸得飘乎乎的，老实的孔纥一边摸着头一边傻笑。

鲁军回师那天，全曲阜城的老老少少，都出来夹道迎接，对于立大功的孔纥，更是指指点点、拍手欢迎。

鲁襄公论功行赏，调升孔纥为陬邑大夫。

一连数日，孔纥家中贺客盈门，孔夫人施氏与几位女儿们，更是忙进忙出的，没有一刻停息。

父亲再娶，生下哥哥不良于行

日子过得飞快，转眼孔纥已经快六十岁了。

这一天，外面下着蒙蒙雨，孔纥看着已经老态龙钟的妻子，心想：妻子怎么说也是贵族世家出身，自从嫁给他之后，就没过过什么好日子、享过什么福。反倒是为了孔家的后代，辛苦了近二十年，连生了九个孩子，每次怀胎的孕吐，就够她受的；产后又因为没好好调养，身子骨变得奇差，看起来比实际年龄苍老许多。

可是，施氏的努力生产，并没有替孔纥解忧，因为她连生九个孩子都是女的，这在注重“传宗接代”的早期社会里，是一件相当大的憾事。孔纥从年轻盼到鬓发花白，几个女儿也分别嫁了，还是没盼到儿子。

“老天爷呀！我孔纥一生正大光明，虽没有丰功伟业，却不曾作孽害人过。求您看在这个分上，赐给我一个儿子吧！一个就好……”

默祷毕，孔纥转念又想：自己都快六十岁了，还能指望有儿子吗？

“唉——”想到这里，又摇头叹了一口气。

一旁的施氏看见了，黯然神伤，一面怪自己的肚子不争气，对不起孔家；一面又觉得自己命苦，没有生儿子的命。但尽管再怎么哀怨神伤也无济于事，在那个时代里，没生儿子都是把罪过推给老婆的。因此，当孔纥的朋友出面要为孔纥寻妾时，施氏也不能有话说，只有暗自吞泪的份。

孔纥的妾娶进门后，施氏眼见新人笑，不免伤心落泪；加上妾嫁过来的第二年，就为孔纥生下一个儿子，孔纥高兴得很，每天抱进抱出的，欢喜得不得了。施氏见了，心病加上多年的宿疾并发，便躺在床上一病不起。

可是没多久，孔家人就发现，妾生的这个孩子不能正常走路。

孔纥为此大失所望，替儿子取名为“孟皮”，字“伯尼”。“孟”和“伯”都有老大的意思，但“皮”字却取得古怪。

“孔大夫为何替儿子取这奇怪的名字呀？”有人奇怪地问。

“大概是因为孩子的脚不良于行……就像有皮肉却无骨的东西，所以……”街坊邻居都暗中这样揣测谣传着。

妾也觉得十分气恼，更不知道是怎么回事，骄骄傲傲地生了个儿子，原以为从此可以在孔家立稳了脚跟。这一来可好了，儿子的脚不健全，让她的美梦泡汤不打紧，人们用异样的眼光看着儿子，更让她心痛不已。

“有什么办法呢？我也不愿意这样啊！”妾感到无助又无奈。

可是，妾的坏运气似乎还没有停止，她的肚子往后也不曾和她合作，自从生了伯尼之后，五年来再不曾怀孕过，让自己在孔家的地位更往下沉了。

父亲三娶，生下孔仲尼

孔伯尼五岁时，孔纥的朋友再次出面为孔纥物色女子。四处打听之后，找到了颜襄的女儿。

颜襄是曲阜城里闻名的书香世家，本人学问渊博，生有五个女儿，都待字闺中还没有出嫁，年龄最小的只有十六岁，个个知书达礼。

孔纥的朋友立刻拜托颜家的一位世交做媒，向颜家说亲。

当媒人找到颜襄，说明来意后，颜襄转过身，迟疑了一会儿，心想：陬邑大夫是商汤的后裔，先人是宋国贵族，家世、名声都很好，本人品行也不错，就是年纪太大了些，应该推掉这门亲事才好。可是……这媒人是颜家的世交，不好当面回绝……

对了，不如这样……

颜襄想到这里，便转身对媒人说："老兄啊！这件事情攸关女儿的终身，我得问过她们本人的意思才能回复你，总不能勉强她们出嫁吧？"

"当然！当然！颜兄说得对，我在这里静待佳音就是了。"媒人连声点头应诺。

颜襄打着如意算盘，认定年轻的女儿们不会有人想要嫁一个年过六十、几乎可以当自己爸爸的老人。只要她们开口拒绝，他就有理由推辞了。

“爹！我——我愿意。”出乎意料的是，颜襄到后厢房询问女儿意见时，小女儿颜徵在竟然同意出嫁。四位姐姐都以为小妹疯了。

颜襄再三确认自己没有听错，看到徵在表达意思后，羞怯地低下头，只好说：“也罢！这是你的人生，由你自己决定，既然你愿意，我也没有理由不赞成。”

就这样，颜徵在嫁入孔家。依照当时的礼俗，娶妾之后再娶的婚姻，并不被看好，尤其是这种年纪相差一大截的老少配，更被称为“野合”，总是让人指指点点，不是被世人称羡的一对。

进入孔家的颜徵在，因为妻、妾的位置都有人占了，没有名分、没有地位，连孔夫人施氏过世时都不能出席，只能在家表示哀悼。她也渐渐发现孔家的生活，没有外表所看到的那样光鲜。

幸好颜徵在知足自得，能够想办法自在地生活，有时摘摘野菜、拌拌饭，凑合着也可以度过一餐，日子就这样将就地过着。

婚后第二年，颜徵在一直没有怀孕，夫妻俩都十分着急。某天在郊外采野菜时，一位常和她聊天的刘婆婆问她：“还是没怀孕的迹象吗？”

颜徵在点点头，又默默地低下头，停下摘菜的工作。

“要不然……你到尼丘山[1]那座山神庙求求看，听说很灵验！”刘婆婆看到颜徵在失望的样子，替她指出了一条明路。

颜徵在一回到家，就对孔纥说起这件事，孔纥觉得可以一试。两人便选了一个吉日，事前非常诚心地斋戒、沐浴，备了供品香烛，前往尼丘山庙来祈求。

孔纥一进神庙，待颜徵在摆好供品，就向神灵跪倒，叩头说：“神灵啊！听说你灵验无比，一定知道我来此的目的吧！我求子求了四十多年了……几年前，老天虽然赐给我一个儿子，他的脚却不良于行……求神灵赐给我一个健全活泼的儿子吧！否则我孔纥有何面目去见先祖……我就是死了，也不会瞑目啊！”孔纥说得老泪纵横，令人鼻酸。

一旁的颜徵在看得十分动容，连忙俯身叩拜说：“小女子是孔纥的小妾颜徵在，嫁给孔家原希望能圆丈夫求子殷切的梦。但将近两年了，都没有生儿子的迹象。我夫妻二人特地登山来求神灵赐子，若蒙应允，日后一定备妥丰厚供品前来拜谢。”

颜徵在说到这里，起身走到神桌边，拿起筊杯，又跪倒叩头说：“不知神灵是否答应赐子？请赐筊杯指示。”

这时，孔纥已经起身，屏气凝神地侧头观看，两手不停地颤抖。心想：年轻时在阵前杀敌斩将，都没有这么紧张，怎么这时会如此失控呢？莫非是太在乎传宗接代这件事了，才会紧张成这样。

1 后来为了避孔丘的名讳，尼丘山改称尼山，在曲阜东南方向的防山上。

颜徵在把筊杯用力掷落在地上，一正一反，是个圣杯。

孔纥跳了起来，喜不自胜，他一个箭步冲向前，捡起筊杯，仿佛现在就得到儿子似的，激动地对颜徵在说："允了！允了！神灵答应赐给我们儿子了。"

颜徵在也非常高兴，忽然想起什么，拉一拉孔纥的衣角，示意他跪下。

孔纥会意，忙仆身跪倒说："多谢神灵！多谢神灵！"

颜徵在红了眼眶，对神灵说："如果真的有了儿子，我一定……一定会好生教养，让他成为有为、有用的人。"

夫妻两人下山时，心情愉快，这才有心观赏尼丘山的景致。他们向四周看去，尼丘山的地形四面高起，中央凹下，神庙就建在凹处的树林中，十分隐秘安静，且风景优美。两人都感到心旷神怡，然后一路谈笑回家。

不久，颜徵在果然怀孕了，孔纥知道后非常高兴，忙不迭地叫家人暗中准备吃的、用的和补的，又让人张罗颜徵在生孩子的住处。因为依当时的习俗，颜徵在没有名分，不能在家生孩子，否则会被人批评。

孔纥不在乎这些闲言闲语，只一味地希望儿子能快些出世。

虽然如此，毕竟源自守礼的世家，再怎么大胆，也不敢明目张胆地违背礼俗，所以最后还是派人在尼丘山庙边，租一间草庐让颜徵在在那里待产，并请刘婆婆来帮忙照应。

孔纥几乎每天都来探视。颜徵在看到孔纥这样的尽心，忍不住吐露出心中暗藏已久的疑虑，说：“夫君……万一我生下的是女儿，你会如何？”

孔纥愣住了，这个问题他想都没想过，只一厢情愿地认定颜徵在会生儿子。但是世事难料，老天爷已经跟他开过十次玩笑了，难保老天爷不会和他再开一次玩笑。现在经颜徵在这么一问，自己也不得不面对这个问题。

他考虑了一会儿，拉起颜徵在的手慢慢地说：“徵在娘子，你放心，如果再生下女儿的话，我就认命了。我不会怪你的，老天爷若真要绝我孔家的后，我能怨怪谁呢！”

孔纥口中虽然说要认命，眼中却不自主地充满了泪水，对于不会生儿子这件事，显然还是耿耿于怀。在他苍老的面容上，流露出上天如果真的这样安排的无限遗憾，让颜徵在的心绪不自觉地搅动了起来，连忙反过来安慰孔纥说：“夫君，我想我们应该会生儿子。你忘了！尼丘山庙的神灵已经答应过我们了呀！”

孔纥听到这话，一下子又破涕为笑了。

也许是老天爷终于怜悯了，也许是尼丘山的神灵真的灵验了，几天后，颜徵在在草庐生下一个白白胖胖的儿子。

孩子刚出生就有乃爸的风范——手长、脚长，孔纥一见就觉得投合得不得了，直抱在手上不肯罢手，笑得嘴都合不拢。他给儿子全身都检查过几遍，手脚健全，哭声响亮，而且十分健壮，太有孔家男子的风骨了。

孔纥越看越得意，忙不迭地要为孩子取名字。他来回踱着步，口中不断叨念着：“取什么名字好呢？”

孔纥把高举的儿子从半空中放了下来，搂入怀中，又仔细端详他的脸孔，发现儿子的额头特别宽阔，周边肉骨稍厚，中间有些凹下，就笑着对儿子说：“儿子啊！你的天庭饱满、宽阔，是绝佳的面相啊！哈哈哈……嗯——这额头的模样儿，倒挺像那尼丘山的。好吧！我就把你取名叫‘丘’，字‘仲尼’。”

“哈哈！孔丘，我的丘儿啊！爹爹可盼了你四十多年啦！你终于来了，咱们孔家以后可要指望你了啊！”孔纥说着，两行热泪忍不住夺眶而出。

颜徵在看着丈夫又笑又哭，顾不得刚生产完，用虚弱的声音说：“夫君！你别尽耍弄儿子啦！我们能够如愿以偿，应该好好地答谢神灵才是。”

“啊呀！你说得对，我光顾着高兴，把这件事都忘了。等你身体恢复了，我们就去谢神。啊！不！我、我现在就先谢过。”孔纥说到这里，俯身向门外叩拜说：“多谢神灵赐子！多谢神灵赐子……”

之后，两夫妻就一直逗弄孩子，直到孩子饿了大哭，他们才手忙脚乱地喂食。等孩子吃饱睡着了，他们还不停地注视着孩子的脸，一点也不觉得厌倦，直到刘婆婆送来晚餐才停止。

单亲苦学的童年

父亲早逝，生活清苦

日子很快又过了三年。

有一天，孔仲尼和哥哥孔伯尼在庭院前玩，忽然听到好几个人闹哄哄地向孔家来，其中一个人快步跑过来通报："不好了！不好了！陬邑大夫昏倒了！"

九岁的孔伯尼一听，心中着急，一步一拐地靠近众人，一看吃惊得不得了。他看见父亲气息奄奄地躺在担架上，被众人抬回来，急忙转身叫唤弟弟说："仲尼，仲尼，快别玩了，赶紧去请三娘！"

孔伯尼所称的三娘，便是颜徵在。由于孔伯尼的娘没有理家的本事，自从大娘施氏过世后，孔家内部大小事宜，概由颜徵在打理。颜徵在把家中料理得井井有条，对于不是亲生的伯尼也非常照顾，所以全家相安无事。

孔仲尼还小，不知轻重，玩得正起劲，却让哥哥支开去叫母亲，心中很不情愿。他凑过身挤到众人这边，发现孔纥躺在担架上，便推着孔纥叫道："爹爹，你怎么在这里睡觉？现在已经天亮了，快起来呀！"

孔纥睁开眼睛，想说话，却吐不出半句。这时孔伯尼又连番催促说："仲尼，别叫了，快去请三娘！乖！听哥哥的话……"

孔仲尼看到哥哥着急的表情，体会到气氛的不寻常，连忙快步跑进内堂，一面叫着："娘，娘，有好多人来了！我、我还看到爹爹躺在架、架子上睡觉……"孔仲尼气喘吁吁地描述着。

颜徵在听到这里，立刻匆匆地赶到庭外，把孔仲尼撇在原地。孔仲尼愣了一下，随后又追着母亲跑出来。

原来孔纥在料理公务时，忽然感到心情烦躁、头重脚轻，接着全身冒出冷汗、两眼金星乱跳，然后眼前一黑，就晕倒在地了。左右同仁见状，赶紧找来担架把他抬了回来。

众人把孔纥安放在床上后，就陆续离开了。颜徵在心焦地请大夫来诊治。可是吃过大夫的药，又经过好几天都不见起色，大夫最后摇头对家人说："你们给他准备后事吧！"

没想到一向身体强健的孔纥，会在一夕之间倒下来，一倒下来就无药可治。全家都陷入愁云惨雾中，唯独不晓事的孔仲尼例外。

"爹爹，你为什么一直睡觉不起来？"孔仲尼一直不明白父亲为什么老是在睡觉，不断拉着父亲的手说："爹爹，起来教我念书呀！

你好几天没教我识字了呀？快起来呀……爹爹！”

“丘儿……我可怜的孩子，爹爹不行了……你……你要好好照顾你娘……”第三天，孔纥忽然睁开眼睛回应孔仲尼。他转眼看到坐在床边、泪眼婆娑的颜徵在，便对她说：“娘子，我对不起你！我……要先走了，孔家……要交给你了，拜托你………一定要……”

“你别说了，我都知道……”颜徵在噙着泪水回答。

“皮儿、皮儿……也要拜托你了，他娘……”孔纥寻到孔伯尼和他娘的脸，说不出话来。

“你放心！我会把皮儿当自己的孩子照顾，我也会好好照顾二姐的……”

孔纥松了一口气，转头看着孔仲尼想对他说什么，结果什么也没说，就断气了。

孔纥的后事虽然都是颜徵在料理，但出面的却是伯尼的娘，族人帮忙把孔纥安葬在城东的防山上，颜徵在碍于礼俗不能参加，所以并不知道丈夫墓地的所在。

这点颜徵在只能随俗。再说她此刻也没有心思顾虑这事，她现在心中最挂心的，是全家的生活重担。毕竟自己是女流之辈，年纪才二十出头，生活历练不足，对于家计来源一下子实在没有良策，心里一直盘踞着一个问题：往后要靠什么来营生？靠什么持家？

幸好颜徵在耐劳刻苦，有事就做，有活就干，经过前一两年的辛苦经营，到了第三年，生活虽然依旧清苦，总算过得比较平顺了。

由陬邑迁移曲阜

颜徵在勤俭持家，日子过得清苦，她却甘之如饴。两个孩子在她亲自教导下，认字、读书，学习渐渐上了轨道。孔伯尼（十二岁）和孔仲尼（六岁）两个孩子，一起读着诗书。

颜徵在一边缝衣服，一边微笑着，孩子逐渐长大，她感到很欣慰。只是有一件事，让她总是放不下。那就是她发现孔仲尼的学习能力非常强，记忆力也惊人。

孔伯尼虽然比孔仲尼大六岁，但无论领悟力还是背书，都没有孔仲尼好，每次忘词时，都是孔仲尼给他提词，俩人才能顺利地往下背。

孔仲尼的经书比孔伯尼学得多，而且对任何事情也特别好奇，老是东问西问问个不停，有时候问得颜徵在也回答不出来。颜徵在深怕如果不为孔仲尼找到可以解惑的老师，孔仲尼的学习会受到阻碍，而这种情况也不能忽视，得尽快处理。

但是，陬邑是个小地方，四周找不到有学问的老师求教，更别说有什么像样的学校了。颜徵在斟酌着：曲阜是鲁国首都，有较好的学校和老师，为了两个孩子的前途，是不是应该要搬到曲阜去……何况自己娘家在曲阜城里，如果有需要，可以多个照应。

颜徵在把这个想法说给伯尼的娘听，伯尼的娘说："徵在妹子，你怎么决定，我都赞成，我相信你一定是为我们好才这样做的。你瞧！这么多年来，家里内内外外、大大小小的事，哪件不都是你在应

付、想办法的，我呀！什么忙也帮不上，若不是有你撑着，咱孔家恐怕要败了。你决定就好！你决定就好！”

孔伯尼的娘虽然不十分明白两边学校的差异，但是她对颜徵在的决定有信心。她是打心眼里佩服颜徵在的，看着颜徵在年纪轻轻就能照应一家内外，还教孩子读书写字，自己却一窍不通，像个没用的人。她哪里有什么立场反对呀？这些年多亏颜徵在没有将他们母子扫地出门，否则他们母子恐怕早已经在街上行乞了，她是打从心底感激颜徵在的。

“快别这么说了，姐姐，咱们是一家人，还说那些干什么？我也是照着咱们夫君的交代，希望好好地教养这两个孩子……如果姐姐不反对，那我们就这么办了。”

颜徵在得到孔伯尼的娘的同意，很快就着手打理，一家人很快就搬到曲阜城西南的五衢卫。

曲阜真不愧是一国之都，可比陬邑热闹多了，街道大而笔直，商店林立，穿梭往来的商旅游客甚多，马蹄声、车轮声与人声鼎沸。

“带我到那边看看！这是什么？好有趣！这个能吃吗？……”刚搬来时，好奇心重的孔仲尼，最喜欢央求家人带他到处逛、到处瞧，觉得事事都新奇得不得了。

为了让孔仲尼能有个解惑的对象，颜徵在就让两兄弟到曲阜的公学念书。那时候的学校是公办的，只有卿大夫、贵族以上阶级的孩子才能上学，一般的平民百姓是没有资格上学的。两个孩子的父亲

孔纥，生前受封为陬邑大夫，所以有上学的资格。

有一天，鲁国要在曲阜城南的沂水河畔举行祭祀活动。按周礼，只有天子可以祭天，称为“郊祭”，诸侯只能祭地，称为“社祭”，但现在的许多诸侯，都超越了礼仪，也祭起天来了。

鲁国又比其他国家更重视礼仪，对于祭祀天地的活动更为慎重，全国上下几乎都为了这个活动忙碌起来。

“徵在妹子，今儿个城南有大拜拜，听说可热闹得很呢！咱们也去看看热闹好不好？”孔伯尼的娘对颜徵在说。

“真的吗？我也要去！我也要去！”孔仲尼听说有热闹可看，忍不住吵着要去。

颜徵在心想：带孔仲尼去当然没问题，但孔伯尼的脚不方便，这种人挤人的场合，他一定不想去，他不去就得有人留下来陪他。

于是转头对伯尼的娘说：“姐姐，我还有一些事要做，今儿个实在走不开。这样好了，有劳姐姐带丘儿去吧！我和皮儿看家……”

“太好了！可以去看热闹了。”孔仲尼兴奋地拍手叫着。

颜徵在和孔伯尼的娘都笑了，孩子就是孩子，心性就是好玩。

孔伯尼的娘紧紧地牵着孔仲尼的小手，向城南沂水畔走去，深怕一个不小心，孔仲尼在人群中走丢了，这可万万对不起徵在妹子了。她紧拉着孔仲尼的手慎重地叮嘱说：“丘儿，你听好！我们要去的地方到处都是人，你可要跟好，不要乱跑，知道吗？”

“知道了，二娘！”孔仲尼会意地点点头。

他们好不容易来到沂水河边，显然来得晚了，河边挤满了人，尤其是祭坛的附近，几乎没办法靠近。

孔伯尼的娘几次想挤进去，可是挤得满头大汗都没有成功。正急得不知如何是好时，转身看到不远处有一道河堤，虽然距离远些，但起码还可以看到这边的活动状况。于是低身对孔仲尼说："丘儿，咱们到那边去。"

两人走到河堤爬了上去，堤上人不多，位置却比原来的好，不但居高临下，可以清楚地看到整个祭坛与沂水的景致，连万头攒动的人们都可以一目了然，视野比刚才好太多了。堤上的人逐渐多了起来，孔伯尼的娘庆幸占了先机，否则一定又是一番推挤折腾。

孔仲尼兴致勃勃地看着祭祀人员，进进出出的摆放俎豆[1]，安排相关事宜等，样样都让他好奇。

"二娘，那是什么？为什么要这样摆？"孔仲尼问。

"这个……呃……我不知道……"孔伯尼的娘回答道。

祭典开始后，奏乐，各种仪式一一进行。

"二娘，为什么祭祀的时候要奏乐？为什么要奏这种乐？这是什么音乐？"孔仲尼问。

"呃……"孔伯尼的娘也不知道。

"为什么祭祀的人要穿不同颜色的衣服？"孔仲尼问。

"……"孔伯尼的娘没有回答。

1 俎豆是古代盛装食物和祭品的食器与祭器。

“他们拜的是谁？为什么有时鞠躬有时叩拜？为什么要洒酒？”孔仲尼问。

“……”孔伯尼的娘没有回答。

孔仲尼一直问到祭仪结束，都没有停过。他也知道二娘是没办法回答他的，但还是忍不住地提问，最后所问的问题已经有点像是自己问自己。

孔伯尼的娘面对这些问题，刚开始觉得有点窘，后来索性一句话不吭，来个相应不理，心想：这样别人就不知道他是在问我了。

祭仪结束后，两人从人群中挤出来，像打了一场仗似的，又累又渴，一回到家就连喝了几碗水，然后坐定，滔滔地对颜徵在和伯尼叙述今天的所见所闻。孔仲尼此刻又重新把问题搬出来问一遍，颜徵在对祭仪的礼仪并不十分清楚，大多数也没办法回答。

可是，从这天开始，孔仲尼对祭礼祭仪等产生了浓厚的兴趣，每天都把石头、破碗等当作祭祀用的俎豆，并学起主祭官鞠躬、祭拜的动作，学得惟妙惟肖。

曲阜的周公庙是鲁国的“太庙”（祭祀祖先的祠庙），经常举办祭典，只要有祭典，孔仲尼一定会跑来看。由于他有心学习，认真记忆，很快便对仪式与礼仪有深刻的了解，更加沉迷于礼仪的学习。

母亲颜徵在看儿子这样，总觉不妥，就对孔仲尼说：“丘儿啊！娘知道你对礼仪这方面的事感兴趣，但你学这些，难道想做一个祭祀人员吗？娘希望你把心思放在读书上，才不辜负娘和你爹对你的期望。”

孔仲尼虽然对爹的印象已经不深了，但每次只要娘一提起爹，娘的眼眶一定会泛红，他看得出娘对爹的思念。尤其在督促两兄弟读书方面更是有使命感的，认为如果没有做好，就对不起爹似的。

“好的！娘，我以后专心读书就是了，您别伤心……”孔仲尼贴心地说。

从此以后，孔仲尼就把俎豆等与祭仪相关的东西堆到屋角，不再去动它。虽然有几次忍不住想拿出来玩，最后还是忍住。

在曲阜的公学上了三年课，学习力强的孔仲尼，很快就又觉得不足。颜徵在考虑了一阵子，决定把他交给自己的父亲——饱读诗书的颜襄——继续教导。

颜襄这时已经六十多岁，一见到九岁大、身材却比一般孩子高大的孔仲尼谈吐自然、聪明好学，非常喜欢。他笑着对孔仲尼说：“丘儿呀！古人所学的有六艺，我擅长其中的书、礼、乐、数，只要你肯学，外公一定把一生所学倾囊相授，不会有半点藏私。”

“谢谢外公！”孔仲尼立刻发出第一个疑问：“外公，什么是六艺？”

“喔！六艺指的是五礼、六乐、六书、九数、五射和五御。五礼是指吉礼（祭祀用）、凶礼（丧葬用）、嘉礼（婚配用）、宾礼（宾客用）、军礼（军队用）等五种礼仪。六乐呢，是指云门（黄帝时）、咸池（尧时）、大韶（舜时）、大夏（夏禹时）、大濩（商汤时）与大武

（周武王时）等六种乐舞……”外公说到这里，转眼偷瞧一下孔仲尼，看他是不是有厌烦的表情。结果发现孔仲尼在非常专心地听，口中默念，似乎在努力记忆。心里十分宽慰，觉得“孺子可教也”。

“那……六书、九数又是什么？”孔仲尼不知道外公为何停止了说明，便又追问起来。

“六书是指象形、指事、形声、会意、转注和假借等六种造字、用字的方法；九数则是指九种数学运算的方法。”颜襄立刻回答。

“那……五射、五御是……”孔仲尼兴致不减地问。

“五射是五种射箭的方法，五御是五种驾车的方法。哈哈！这两种是外公最不熟悉的部分了。”

“外公，那吉礼中的……”

孔仲尼首先把自己最有兴趣的部分抓出来问，外公一一回答；外公也反问孔仲尼一些问题，发现他大都能从容回答。爷孙俩越说越有趣，直到颜徵在上前阻止才告一段落。

外公捋着雪白的胡须，面露笑容地对颜徵在说：“哈哈哈！女儿呀！我看我这个外孙不需要几年，就可以把我所学的学光了。”

“爹，您说哪儿的话，您太抬举他了。您的学问渊博，远近驰名，丘儿要是能学到您的皮毛就很不错了，还望您老人家多多费心栽培呢！”颜徵在听了心中高兴，但不忘谦逊。

“嗯！这孩子是个人才啊！哈哈哈！好极了。明天开始，我就把我的所学一一传授给他。”颜襄高兴地说。

“谢谢外公。”孔仲尼一听外公这样夸他，又愿意全心教他，连声道谢。

刚才他和外公交谈，孔仲尼早就发现外公比母亲懂得多，可以回答他的许多疑难，他也觉得外公比学校老师的学问好。现在外公肯教他，是他的造化、福气，自然高兴。

第二天，孔仲尼就开始在颜襄这里学习了。

在贵族家当“儒”

转眼又过了六年，孔仲尼已经十五岁了，八尺高的个子早已高过外公，出落得更像父亲孔纥了。

有一天，孔仲尼和往常一样，回家探望母亲与家人，经过一片稻田。他走在田埂上，听到有几个农夫认出他来，却不和他打招呼，只听他们小声交谈。

“你看，那个人可是孔仲尼？个子可真高啊！”第一位农夫瞧着孔仲尼说。

“高有什么用？这么大了，成天只知道念书……”第二位农夫有批评的话。

“可不是吗？人家说，贫苦人家的孩子早熟、懂事，可是在他身上并没有看到……”第二位农夫的妻子说。

“也许是没有找到事吧？”第一个农夫说。

“要做事还不难，就怕吃不了苦……”第二位农夫说。

“他娘苦了这么多年，是该分担些了……”第一个农夫说。

孔仲尼并不是有意要偷听，只是这对话声不经意地传入他的耳中，而这段话却让孔仲尼的心潮起伏不已。

父亲早逝，从小母亲就一个人忙着家中的大小事情。打从自己懂事以来，就一头栽进浩瀚的书海中，这么多年来，只顾自己乐着，一点也没注意到母亲年岁大了，自己该分担家计了，以至于让母亲一直辛苦地扛着生活重担。

“我实在太不孝了……”孔仲尼十分自责。

他走到一个水池边，照见自己如同大人的魁梧身躯，想起母亲经年劳苦的瘦弱身躯，更觉得自己才应该是挑起生活重担的人。

满心忧郁的孔仲尼没有直接回家，他先到他的一位好朋友颜繇[1]的家，向他吐露心声。

“你想找事做吗？”颜繇问。

“是的。但是……我没做过事，完全不知道要从哪里着手。”孔仲尼为难地说。

“找事有什么困难，就怕你不肯做。”颜繇说。

“我不怕苦，什么事都愿意做。”孔仲尼坚决地说。

“有一种工作你要不要试试看？”颜繇问。

---

1 颜繇：字季路，也称为颜路，小孔子五岁，是孔子交往多年的朋友。家境贫困，和儿子颜回都拜孔子为师。

“什么工作？”孔仲尼连忙请问。

“就是到贵族、大夫家去当‘儒’。”颜繇回答说。

“‘儒’是做什么的？”没有工作经验的孔仲尼，不曾听过这种工作。

“这‘儒’和巫、祝、卜、史是不一样的！巫是装神弄鬼、为人祈福祷寿的人；祝是司祭祀、告鬼神的人；卜是替人占卜测卦、说吉凶的人；史是为人记录各种事迹的人。‘儒’可说是从这四种职业里分出来的，专门在贵族家替他们相礼的人，大多是由读书人担任。每当贵族家有婚、丧、祭仪的时候，都会请对礼、乐仪式比较清楚的‘儒’来主持，让仪式进行顺利，同时不致失礼。”颜繇读书不多，可是很小就开始工作，生活经验丰富，比孔仲尼世故得多，这些都是他从大人那里听来的。

“嗯——这工作倒挺适合我的。”孔仲尼高兴地说。

“我也这么觉得。礼、乐都是你擅长的嘛！让你去做绝对不会有问题。不过……我要提醒你一点，‘儒’这个工作对我们一般百姓来说，雇主是贵族，够体面，酬劳也够多，算得上是个好工作。但是对于贵族来说，‘儒’却被看作和巫、祝、卜、史同一流，并不是那么被他们尊崇的。关于这点，你要有心理准备才好！”颜繇说。

“没有关系！我相信脚踏实地做事比较重要，至于有没有地位，我并不在意。可是……我要怎么和贵族牵上线呢？”孔仲尼说。

“你放心！我有个亲戚一直在贵族家里帮忙做事，常说贵族他

们很需要‘儒’。只要打听到有空缺，我就通知你去试试，如何？”颜繇很有把握地说。

“太好了！真是太谢谢你了！”孔仲尼紧握住颜繇的手，心中充满感激。

回家后，孔仲尼立刻把这个消息告诉母亲，母亲原本还希望孔仲尼专心读书，后来知道这并不是经常性的工作，孔仲尼也向她保证不会影响读书，她才答应。

当孔仲尼第一次领着当“儒”得到的赞礼红包时，母子俩都很高兴；孔仲尼洋溢在首度赚钱的满足喜悦中，母亲则因为儿子终于长大了，可以分担家计而高兴。平静的生活过得飞快，直到孔仲尼十八岁那年，外公过世了，才让平静的生活起了波澜。

外公死前一再地叮嘱女儿，要好好栽培他的得意外孙。

孔仲尼非常舍不得这位相处多年、慈祥爱护他的长辈就此离他而去，哭得非常伤心。这是他第二次面临丧亲之痛，由于这一次比第一次懂事，加上与外公的情分也比父亲深，因此伤心的程度更大。

颜徵在办完父亲的丧事后，再次体会到人生的无常，她知道自己身体不怎么强健，担心哪天也会像丈夫、父亲那样突然离世，那时两个孩子该怎么办，姐姐又要指望谁。

“嗯——两个孩子都大了，我得赶紧让他们娶妻生子，为孔家传后，才对得起我的夫君，姐姐日后也才有依靠……”

颜徵在自言自语地说着，刚好孔伯尼的娘进来，听到颜徵在的细琐话声，便开口问道："徵在妹子，你可是在和我说话？我没听清楚，你再说一次！哎呀！我这年纪一大啊，耳朵都不灵了。"

颜徵在温柔地挽着孔伯尼的娘的手，让她坐在她的床边，平和地说："姐姐，你看，咱们家的两个孩子都够大了，该不该给他们娶房妻子了？"颜徵在也不拐弯儿，直接说明自己的想法。

"哟！可不是吗？咱皮儿都已经二十四岁了，可是脚不方便，有哪个闺女愿意嫁给他呀？唉，我呀！也是一直挂心这件事儿，没敢跟你提……"孔伯尼的娘想到自己孩子的缺陷，显得非常无奈，但转念又对颜徵在说："不过，丘儿就不一样了。丘儿已经长得像大人了，一表人才又饱读诗书，给他娶房妻子绝对没问题，不如让他先娶吧？"

"这怎么可以！长幼有序，皮儿是哥哥，自然应该先娶。"颜徵在执意要先安排好孔伯尼的婚事，这样自己才能放心。她劝慰孔伯尼的娘说："姐姐，一切就由上天安排吧！我们只要尽心尽力，不欺骗人家，相信一定可以找到愿意嫁他的闺女。我当初……不也是愿意嫁给岁数大我很多的夫君吗？"

"是啊……好吧！徵在妹子，就照你的意思办吧！但是你爹的丧事才刚办完，这会儿又要办他兄弟俩的婚事会不会……"孔伯尼的娘想起这件事，有点担忧，便提醒颜徵在。

"按古礼，在丧事后如果要办婚事，一定要在一年内完成，超过这时间，要等三年后才能举办。所以我想在一年内让他们兄弟早

点成家，了却咱俩的心事。”颜徵在向孔伯尼的娘说明着。

“你觉得怎么做好就怎么做吧！我都听你的。”于是，颜徵在就拜托人为孔家两个兄弟物色合适的人。

不久，孔伯尼先娶。孔仲尼随后也成婚，娶的是宋国女子丌官氏，很有才德，与孔仲尼年纪一样。

孔仲尼原本不想那么早成婚，但是非常体谅母亲希望他早成家的心理，因此同意。婚后家中有了帮手，母亲也不必那么辛苦，全家还算其乐融融。

有为有守的青年

受辱发愤苦学

孔仲尼虽然成家了，但终究是一个年轻人，对于国事没有不关心的。他知道，鲁国的先君庄公有三位兄弟：庆父（仲孙氏）[1]、叔牙（叔孙氏）与季友（季孙氏），担任鲁国卿大夫，经过几位国君之后，三家卿大夫的子孙，权力扶摇直上，开始垄断政权，因为他们都是桓公的儿子，所以号称“三桓”。

公元前569年，鲁襄公在位时，身居相国（宰相）的季孙宿（季武子），将费邑[2]据为己有。七年后，将属于鲁君的左、右、中三军改由三

1 氏是贵族分支的称呼。鲁国是周公的后代，所以姓姬。鲁庄公的三个弟弟未继承国君的位置，就依排行分别称为仲孙、叔孙、季孙，他们的后人就称为仲孙氏、叔孙氏、季孙氏。庆父子孙为避“庆父弑君”这件违背义礼的事，不再称“仲孙”，改为“孟孙”或“孟”。

2 费邑是季孙氏封地的都邑，在现在山东临沂县的西北边。

家大夫各统率一军，鲁君襄公被架空，手中完全没有军队。

鲁昭公即位的第五年（公元前537年），季孙宿的后人季孙意如（季平子）继任相国职位，为了扩张自己的势力，把中军去掉，季孙家统率一军，其他两家大夫合统另一军。

周公时推行“井田制度”，将每一方里的土地划为“井”字九个区域，四周八个区域称为“私田”，分由八家农民耕种，所得由农民各自拥有，但每年需奉献米粟、布匹等给地主卿大夫，也就是一般平民的农田直接隶属卿大夫。不过，“井”字正中央的区域称为“公田”，由八家农民义务耕种，所得归天子所有。

可是，季孙家把全国的贡赋分成四份，季孙家独占两份，叔孙、孟孙两家大夫各得一份，鲁昭公得看三家大夫吃饭，国君几乎有名无实。当“鲁国贡赋四分”的消息传出时，舆论哗然，人心惶惶，百姓更加不安了。当年孔仲尼虽然只有十四岁，但已经知道要为国事的动荡忧心了。之后的四五年，鲁国的三家大夫为了夺权，明争暗斗不知多少次，让鲁国的政治更是笼罩在低迷混乱的气氛中，国势更弱。

如今孔仲尼已经长到九尺六寸高（有人因此称他为“长人”），他也和许多年轻人一样，有着一腔报国的热血，无奈三家大夫专权，让孔仲尼不得不却步。但他心中一直有个想法：如果有机会从政，一定要先削弱三家大夫的势力才行。

正当孔仲尼从政的心思活络起来的时候，街上突然传出相国季孙意如有意招纳贤才能士的消息。

“季孙意如一向跋扈专权，妒嫉贤才，这会儿不知葫芦里卖起什么药？”许多人都这样议论着。

孔仲尼虽然看不惯季孙意如的所作所为，但为了要施展自己的抱负，现时还是得通过季孙意如这一关，否则想为国君做点什么事，简直比登天还难。想到这里，孔仲尼决定忍辱前往相国府。

相国府家的建筑十分宏伟、气派十足，进进出出的人潮没有停过。门庭前有位壮汉，身高八尺，满脸胡须，面容狰狞，在客人中穿梭，显见是在迎客。他不是别人，正是相国季孙意如最宠爱的家臣——阳虎（也称“阳货”）。

阳虎眼尖，看到孔仲尼穿着寒酸的儒服，又是陌生面孔，站在门庭处东张西望，便朝他的位置走来。

孔仲尼原想在人群中找到熟人，一起进入，无奈找了半天没有找到，正感到失望时，突然听到身后一个无礼又蛮横的声音说：“你是谁？在这里探头探脑的做什么？”

孔仲尼转身，见是刚才在客人中穿梭的阳虎，便施礼说：“在下姓孔，名丘，听闻相国要招贤纳士，特来……”

没想到阳虎不但不回礼，连孔仲尼的话也没让他说完，就打断他说：“我们相国要招的都是社会名流，不是你这种市井小民！我看你当当‘儒’倒还可以，想当相国的家臣，下辈子吧！”

孔仲尼看见阳虎说话轻蔑又盛气凌人，简直气炸了，生气地反驳说：“谁说当‘儒’的就不能当相国的家臣？相国还没有见过我，你怎么知道他不会用我？”

阳虎被问得哑口无言，便恼羞成怒地说：“哼！相国现在最宠信的家臣就是我，只要有我在的一天，你就别做这个春秋大梦了。来人！把这人撵出去。”

众人看到这一幕，都不知道发生什么事，只看到一个高大又仪表不凡的年轻儒生，被相国府的家仆撵走。大家都指指点点、七嘴八舌地谈论着。

阳虎什么也没有对大家说明，趾高气昂地径自进门庭去了，众人也不敢多问。

这一撵，让孔仲尼感到十分屈辱，不觉面红耳赤。但他转念一想：阳虎平日仗着季孙意如的宠信，胡作非为，城府极深，在相国季孙意如面前恭顺听话，在他后面又是另一番厉害的作为，使得人人都知道相国家有个阳虎，想要做点什么，首先要打点好阳虎才行。

孔仲尼想到这里，认为不应该与阳虎这样蛮横的人一般见识。也许是从政的时机未到吧！既然如此，不如先回去好好地读书，充实自己的知识与能力，一旦时机成熟，随时就可以一展鸿才了。

这样想之后，孔仲尼心中就觉得踏实多了。他制订了十年的苦读计划，不但要精进外公所教的礼、乐、书、数等科的技艺，连外公没办法教的射、御两项技艺，也要认真学习，一定要使自己成为一个六艺都精通、多才多艺的人。

兴起创立私学的念头

渐渐的，孔仲尼的学问越来越好，逐渐被人发觉。刚开始，人们只是登门请教问题，渐渐的，发现孔仲尼的学问确实高深莫测。就连每次练习射箭时，都吸引了无数的人前来观摩，大家对他的射艺赞不绝口，向他求教的人就日渐多了，并且开始有人拜他为师。

“仲尼，向你学习的人越来越多，我看你不如办个学校算了。”孔仲尼的好朋友颜繇开玩笑地说。

“你说得没错！我是真的想搭建几间教室，把我的所学，传授给这些好学的学生。”孔仲尼说出自己的想法。

“不会吧！仲尼，你是说真的？可是，你的学生之中，大都是平民，一旦设了学校，不就没有机会上学了。”孔仲尼的想法让颜繇吓了一跳，便提醒他一些问题。

“我想要设的，是连平民学生都收的私学。我认为任何人都有受教育的权利，公学只把这种权利留给贵族阶级以上的人，是非常不公平的……我想要改变这样的现状。”孔仲尼发表自己的意见。

“……哇！太棒了！仲尼，我为你有这样的想法感到骄傲。这样一来，我们这些平民都可以上学了。太好了！”颜繇听到这样的讯息，忍不住地夸赞起孔仲尼来。

孔仲尼红着脸说：“你就别再夸我了。我也不知道能不能做到，只是有这样的想法罢了。”

“有这样的想法就已经很了不起了。你想想看，公学一向都只收贵族的子孙，现在就要破天荒地出现为平民子弟而设的私学，这简直是前所未有、空前绝后的创举！我一定帮你完成这个创举。”颜繇又是拍胸脯又是连番夸赞，把个性一向谦虚的孔仲尼，说得浑身不自在起来。为了避开他的夸赞，赶紧转移话题说：“你有想到什么执行的方法吗？”孔仲尼很看重颜繇的想法。

颜繇虽然没有什么学问，可是脑筋清楚、分析力强，加上从小开始做事的历练，让他显得老成又多谋。每回只要孔仲尼有了什么想法或问题，一定会来找他，自从外公离世后，他已经取代外公，成为他生活上的导师兼顾问了。

“嗯，首先得上街敲锣打鼓做个宣传，让大家知道有这么个学校。然后标榜‘有教无类’，贫富子弟都可以来上学，是平民子弟翻身的大好机会。还有还有……教学的老师是闻名的孔仲尼。这学费嘛……对了，学费要收多少？”颜繇兴致勃勃地规划着，忽然丢给一旁陪笑的孔仲尼一个问题，孔仲尼摸摸头，傻笑着又把问题丢还给颜繇。

颜繇托着腮帮子，自顾自地说：“学费不能收多，收多了平民子弟负担不起，也不能收少，收少了又对教学的老师失礼。我想……就十条肉干吧！这样平民还负担得起，再多可就不行了。”说到这里，转头对站在一旁的孔仲尼说：“就收十条肉干吧！遇到穷苦一点的，就象征性地收个三两条也可以，你看如何？”

孔仲尼点点头，回答说："这样很好。"

"哈哈！贫富通吃，学生一定比公学多，铁定办得比公学更有声有色，那时候我们不就……"颜繇不由自主地想着美好的未来。

"我是真心希望平民子弟能够平等地受到教育，否则他们再过几个世代都脱不了贫困。至于是否能和公学抗衡，学生人数是否超出，就不是我在意的问题了。"孔仲尼把颜繇拉回现实说："不过，我担心办私学会遭到当局的阻挠。"

"嗯，这是极有可能发生的事，但为了这么多平民子弟的利益，我们总得试试。这样好了，我明天就开始准备，过几天我就到大街上去替你宣传，先探探路再说。喔！对了，为了更具有说服力，你得先收我为徒。"颜繇说着，催促着家人搜集家里所有的肉干，再临时到市井去张罗，总共得到八条，把它们集中放进竹篮中，然后正正式式地向孔仲尼叩拜行了个拜师礼。

孔仲尼急忙扶起颜繇。从此刻起，颜繇改口称孔仲尼为老师，孔仲尼接受了颜繇的拜师礼，也就不客气的以老师自居。

"今后你就是我的学生了，我给你取个学名。你排行第三……嗯……就叫'季路'吧！"

"季路……好耶！老师取的名字果然不同凡响。"颜繇欣然同意。

不久，孔仲尼的私学办了起来，刚开始果然受到来自相国府的压力，阳虎甚至派人前来关切。

孔仲尼将自己无私的想法与做法，详详细细地对他们说明，相国府抓不到小辫子，又碍于孔仲尼的名声响亮，不敢轻举妄动，连忙回家报告给阳虎知道。

“就这样算了，岂不太便宜他了。”来人对阳虎说。

“不然你们有什么好办法？”阳虎横眉竖眼地瞪了来人一眼，来人只得识相地低下头。

“哼！一个书生能起什么大作用，日后见机行事就是了。”只听阳虎轻蔑地补充说。

鲁君尊称为孔夫子

孔仲尼博学的消息，很快传进宫中，鲁昭公听说孔仲尼是商汤的后裔，对他更是好奇。

有一天，鲁昭公心血来潮，就命人聘请孔仲尼入宫。孔仲尼正在家中读书，忽然听到鲁昭公要召见他，连忙更衣前往拜见。

“在下孔仲尼，拜见主公！”

“免礼！素闻孔夫子[1]有经世之才，特来向你请教。”鲁昭公说。

“不敢！不敢！在下不过是一个草芥莽夫，岂有资格让主公屈

1 “夫子”是古时候对非常尊敬的人的一种称呼，意思和现代的“先生”类似，但多了几分尊敬。

驾请教。”孔仲尼听到鲁昭公称他夫子，十分不敢当，叩头再拜。

“您不必过谦，快快请起！”鲁昭公走向前，亲手扶起孔仲尼。

“多谢主公！”

“依孔夫子所知，三皇五帝的治国大道是什么？”鲁昭公劈头便问。

“三皇五帝是以‘天下为公’作为治国大道。”孔仲尼回答。

“你最尊崇的是什么人？”鲁昭公问。

“在下最崇敬的是鲁国的开国先君周公。因为他制礼作乐，为国家、君臣与人民定下了很好的体制，如果人人奉行，天下就太平了。”

“现在我鲁国的国力，在国际间显得十分贫弱，孔夫子可有什么治国之道？”

“在下认为，要想让鲁国强盛不难，首先得施行周公之制，并推行仁政，爱护百姓，用道德礼教来教化百姓。而这样做的前提，必须在上位的人能够‘选贤举能’，如此才能上下齐心，民生富庶。一旦民生富庶，国力自然强盛。”

“嗯，孔夫子说得很有道理。”鲁昭公点头表示赞同。

这时忽传季孙意如、叔孙婼与孟僖子三位卿大夫前来拜见。

原来季孙意如一向妒忌才能，有内线通知他，鲁昭公正在接见闻名的孔仲尼。他一时心急如焚，不知鲁昭公想要干什么，立刻偕同叔孙婼与孟僖子直奔鲁君宫廷来，想探个究竟。

“三位爱卿，你们来得正好，寡人和孔夫子聊得十分愉快，觉得孔夫子真如传言所说，是个博学多识、不可多得的人才，又是仁君商汤之后，依你们看……可有什么职位可以让他担任的？”鲁昭公开门见山地问。

事出突然，叔孙婼与孟僖子猝不及想，不敢擅自主张，只好一起望向季孙意如。

季孙意如不知道刚才孔仲尼和鲁昭公究竟说了什么话，不到几个时辰的工夫，居然把鲁昭公说得服服帖帖，还要让他做官。

这正是季孙意如最担忧的事。他心想：如果让孔仲尼如愿，成天出现在鲁昭公面前，怕要惹出一些事端，甚至连自己这个相国职位，都要拱手让他也说不定。

最后季孙意如打定主意回答鲁昭公说：“主公，任官的事是件大事，不宜过于轻率决定，我们先商量商量再作打算。”

“相国说得有理，这件事就再从长计议吧！”

鲁昭公有点失望，本来一国之君想让谁做官，就可以让谁做。但此刻的他受制于三家大夫，自己既无实权又无实力，凡事要看他们的脸色，虽然很赏识孔仲尼，但迫于无奈，只好顺水推舟表示同意。

不过，鲁昭公心中不免对眼前的年轻人才流露出万分的不舍之情，回头安慰孔仲尼说：“孔夫子之才，是我鲁国之宝，请孔夫子稍安勿躁，他日有机会一定请先生为鲁国效力。”

“多谢主公抬爱。仲尼不才，回去后定当更加努力学习，他日不负主公厚望。”

孔仲尼这回虽然和做官擦肩而过，但却得到鲁君的看重。街头巷尾的人们听说孔仲尼被鲁君召见，并被鲁君尊称为“孔夫子”，大家也都一窝蜂地尊称他为“孔夫子”，简称“孔子”，对他更加崇拜了。“孔子”这看起来像是对老人家才有的称呼，却实实在在地用在年轻的孔仲尼身上，真是始料未及的事。

没过多久，孔子的妻子丌官氏生下一个健壮的儿子，全家都很高兴，颜徵在更是笑得合不拢嘴，她双手合十，向着门外对天拜了几拜，流着眼泪说：“夫君啊！这是你可爱的孙子呀！你看到了吗？”

“娘，家中添子，这是喜事儿，您怎么反而哭了呢？您瞧，这孩子听见您哭，也跟着哭得好大声，您得笑笑才行……”孔仲尼在旁劝慰说。

“我真是年纪大，犯糊涂了，这是咱们家的大喜事，我该笑才是。”

颜徵在连忙擦去眼泪，转哭脸为笑脸，脸颊上还挂着泪水。说也奇怪，那孩子仿佛也感染到奶奶的喜悦，居然咯咯地笑出声来，把全家都逗乐了，好几双眼睛都盯着孩子看。

第二天，孔子正在中庭踱步，想着要替孩子取什么名字。忽然听到鲁昭公又派来一位使者，慌忙出外迎接。原来鲁昭公听说孔子喜获麟子，派人带着两条新鲜鲤鱼送给孔子作为贺礼。

孔子非常感动，面向南方拜谢说："承蒙主公眷顾恩赐，孔仲尼在此谢恩！"

使者回去后，孔仲尼提着两条鲤鱼，忽然想到孩子的名字，便走进厢房对母亲和妻子说："为感念主公厚恩，就替孩子取名叫'鲤'，字'伯鱼'吧！"

婆媳俩都表示同意。

出任粮仓委吏和乘田吏

孔子十九岁时（公元前532年），三家大夫中的孟僖子首先有了行动。他派人把孔子请到大夫宅第，邀请孔子担任成邑[1]的委吏。

委吏是专门管理粮食仓库、收缴田租税粮的委任官吏，一收完租税粮食入仓后，任务就算完成，是短期性质的官吏。

过去派去成邑的委吏贪污舞弊，孟僖子很早就想要好好地整顿一下，可惜一直找不到合适的人选替代。后来想到孔子是个好人选，便派人邀请。

"委吏是很小的职位，以孔夫子的才德来担任，实在是大才小用。但眼前这个烂摊子急需要人手帮忙，只好先让您屈就。日后等时机到了，再为您另谋新职。不知孔夫子意下如何？"

"大夫说哪里的话，承蒙大夫器重，要仲尼担任委吏，仲尼怎敢

1 成邑是孟孙氏封地的都邑，在现在的山东宁县的东北边。

不努力为大夫效劳！”

“哈哈！太好了！能得到孔夫子的帮忙，是我孟孙家的福气。但不知孔夫子何时可以上任？”孟僖子高兴地问。

“即刻可以启程上任。”孔子回答。

孟僖子便把一些委吏贪污的状况大略描述一番，但真相还是要靠孔子自己了解、调查。

孔子回家稍为整理一番，就出发去担任生平第一个官职，带着一颗赤诚又炽热的心来到成邑。但是，这真是一个乌烟瘴气的官职，里头的账目不清、租税不明，是谁来当都要头大的官职。

孔子把账目一一看过，发现错误百出、涂涂改改，数据都不吻合。便把所属管事的差役找来，对他们说：“各位，我是孟孙大夫派来的新任委吏，要来好好地清理账目。目前我不会调动任何人的职位，希望各位都能和我配合，同心协力完成孟孙大夫交代的使命。”

“听凭大人吩咐。”

差役们口头虽然答应，私下却互相交换着眼色，他们欺生又轻视眼前这位年轻委吏。心中一致认为“天下乌鸦一般黑”，只要有油水，有哪个委吏会不抽的。到时候给他一点小惠，保管乖乖地睁一只眼闭一只眼，和我们一起捞钱。

孔子也不再说什么，把地区分配好，让各差役分别去催收田租、粮税，自己则改变装束，暗中深入民间去探查。

孔子走到一个广场，看到几个农夫正在闲聊，就凑进去假装

路过，要茶水喝，顺便坐下来休息，一边和他们说话，一边打听说：“各位今年的收成好吗？”

“马马虎虎啦！”几位农夫摆摆手回答说。

“那今年的粮税你们缴了吗？”孔子又问。

“那么早缴干什么？”其中一位农夫气急败坏地说。

“既然收成好，为什么不早点缴？晚缴不是会被罚吗？”孔子故意问道。

“话是没错啦！但那么早缴实在不甘心啊……”另一位农夫唉声叹气地说。

“为什么？”孔子追问。

“你是外地来的不晓得。咱们成邑里的收税差役，欺压我们这些善良的百姓，故意把缴纳的量桶加大，坑榨我们的税粮。这还不打紧，对上司又以多报少，我们平白多缴的税粮，都让他们给私吞了……”刚才回答的那位农夫看看左右，又是摇头又是叹气地解释说。

“是啊！那是我们辛辛苦苦耕作得来的，就这么平白地让他们给得了，任谁都不愿意啊！所以，谁会急着去缴呀？大家能拖多久就拖多久。”第一位农夫说。

“为什么大家不向差役的上司控告呢？”孔子问。

“没用的啦！他们上上下下连成一气，我们要向谁告去……”另一位农夫说。

“最近不是听说有个新委吏上任……”孔子想安慰他们，可是立刻被他们打断。

“哎呦！别傻了！都换了几任委吏了，一样一样啦！要等到清官来到，我们的胡须都白喽……”

几位农夫们表面虽然互相调笑着，可是心中是何等的无奈与无助，这样的表情与心境，让孔子的正义之心油然而生，心中暗许一定要为这些可怜的老百姓讨回公道。

孔子告辞后，到其他地方多处打听，得到的消息都一样。他又到缴税的地方查看，发现差役所用的量桶，的确比正常的量桶大许多，心中已经有了主意。

回到吏所，孔子立刻召来差役，把量桶往案上一放，生气地质问说：“这可是你们用来催缴粮税的量桶？”

几位差役脸色大变，个个支支吾吾地说不出话来。

孔子接着说：“你们身为税役，却用这样的量桶欺上瞒下，知法犯法，不顾百姓的利益，坑榨他们，弄得民怨滋生，税赋久催不进。像你们这样的人没有资格担任税役，我现在就把你们革职待审！”

“大人饶命啊！”

“小的知错了！大人原谅我们吧！”

孔子依各人的权责大小，分判不同的罪刑，函请孟僖子处置，并将事件原委详细写明。

第二天，孔子让成邑百姓推选最信任的人担任缴税差役的助

手，帮忙催缴事宜。同时出示公告：

在缴税期限以前缴纳的人，只需缴九成；

在缴税期间内缴纳的，只需缴九成五；

如果超过期限未缴的，需多缴一成。

至于遭遇天灾无法缴纳的，可以免税。

但如果没有任何理由拒缴的，没收他的田地让他人耕种。

这个公告一出，农民很快都争先恐后地缴纳了，完税的日期比预期还早得多。孔子把租税收齐，来到孟僖子的大夫宅邸交付。经过核算，孔子实收的税粮比起往年多出两成，都一一对账入库。

“孔夫子真是高人啊！一下子便解决了多年来的贪污秽事，没有让狡猾的差役蒙蔽，真是有为、有智慧的人啊！”孟僖子听完孔子的报告，又看到多得的税收，忍不住夸赞孔子的才德。

“大夫过奖了，在下也很高兴不负使命。”孔子谦虚地回答。

孟僖子此后对孔子的才能更加佩服，时常召见孔子，向他请教。

隔一年（公元前531年），孟僖子再次聘请孔子担任“乘田吏”[1]。

“这个职位十分辛苦，整天要与牲畜为伍，实在委屈孔夫子

1 负责管理牛、羊、马、骡等牲畜牧场的小官。

了！”孟僖子不好意思地说。

“大夫您太客气了，工作性质不是我在意的，我在意的是有没有把事做好，对不对得起大夫的厚爱。”孔子说。

“孔夫子能深明大义，愿意为我分忧解劳，真是太好了。”孟僖子听了很高兴。

于是，孔子前去赴乘田吏的职务，这是他第二次任官。

当孔子走到牲畜的牧场外围时，发现景象荒凉、杂草丛生，四周找不到一个看管的人。他出声吆喝，久久才见一个老人迎了出来。

“我是新来的乘田吏孔仲尼，这里管事的人呢？”孔子说。

“他们、他们都在牲畜的牧场里……”老人支吾地说着。

“他们在那里做什么？里头有很多事要忙吗？”孔子奇怪地问。

“……这……他们在里面杀猪宰羊、喝酒玩乐……”老人断断续续地说着。

“什么？你说他们大白天里不做事，却在牧场里吃喝玩乐！”

孔子听完，生起气来，沉着脸对老人说：“带我去看看！”

“……他们如果知道新任的大人要来，一定会在这里迎接的……”老人想打圆场地说了几句话，见孔子还是绷着脸，便不敢再说话了。

“丁老，你来啦！来来！一起坐下来喝一杯……别客气。”

牧场里一共有三个人，围在小桌前吃喝，其中一位差役对老人招呼，老人对他使眼色，慎重地介绍说：“刘军、王子建、古滑，你们

还不快来拜见新任的乘田吏大人！”

几个差役听到，跳了起来，连忙收敛起嬉皮笑脸的态度，向孔子叩拜。

“不知大人驾临，没有远迎，失敬失敬！”

“你们几人大白天的不做事，却在这里滥宰猪羊、喝酒嬉闹，成何体统？”孔子生气地说，“其他的人呢？”

“……”几个差役不住地摇头。

“快去找他们回来！”孔子强忍着怒气说。

不久，其他差役听到消息，都赶了回来。

孔子让差役们带着他巡视牲畜的牧场，这一看更是火冒三丈，圈养牲畜的栅栏，篱笆倒的倒、断的断，破败不堪。不但如此，那牲畜的屎尿到处都是，蚊蝇满天飞，连所豢养的牲畜都没精打采的，瘦弱得可怜。

孔子对差役们正经地嘱咐说：“今后你们要好好照管这里的每一只牲畜。刘军，你先把那些栅栏、篱笆整修好，王子建、古滑，你们两人把牧场里的环境打扫干净，以后每天都要清扫，还要用上好的草料喂牲畜，让它们尽早恢复健康。”

“是的！大人。”刘军、王子建、古滑三人一起答应着。

“丁老，你带着其他人把牧场外围的杂草除去，然后栽种些天然树篱，让外人知道，这里不是随便可以进入的地方。”

“是的！大人。”丁老应声。

众人看这位新任大人派事有条不紊，说话温和却十分坚定有力，谁都不敢违抗。

经过一番认真整理与清扫，圈养牲畜的牧场内外果然焕然一新，原本十分瘦弱的牲畜，也一只只都被豢养得精壮肥美起来。

有一天，孟僖子和家臣来参观，看到内外清新的景象，禁不住大声地称赞孔子。这时，陪同前来的家臣忽然疑惑地问孔子说："孔大人，这里的牲畜养得真好，但不知为何送来大夫宅第的牲畜都减了半数？"

原来这里每月都要送出牲畜十只到大夫家，这些牲畜都由这位家臣点收的。家臣不明白，既然牲畜养得肥肥壮壮的，数量也够多，应该没有理由减量才对。

"每月我都叫人按照预定的数量送往大夫宅第呀！"孔子奇怪地说。

"不对，不对！我确定只收到半数！"家臣肯定地说。

孔子一听，脸色大变，觉得其中有蹊跷。

"古滑，每个月大夫宅第的牲畜可是你送去的？"

"是、是的，大人。"古滑的脸色铁青，颤抖地回答说。

"那你都是送几头过去？"

"还不快说！"孔子见古滑的样子，冷峻着脸逼问。

古滑见事情暴露，双膝一软，急忙跪下来求饶说："……只送一半……大人饶命啊！"

孔子实在没想到，他不计前嫌地给这些差役将功补过的机会，他们还是在他的眼皮底下使坏。初次尝到人心险诈一面的孔子，心中大为挫折，很是难过。

“那你把其他半数的牲畜拿到哪里去了？”孔子气极地问。

“都卖了……钱也用掉了。”古滑吓得话都快说不出来了。

“还有谁和你分赃？”孔子追问。

事到如今，古滑只好招出另外两个差役。

孔子将他们全部革职，并要求他们将所吞的赃款照数偿还。

两日后，孔子亲自到大夫宅第向孟僖子请罪。

“大夫，仲尼一时失察，识人不明，实在有负大夫重托……请大夫降罪！”

“孔夫子何罪之有？你到任不过一年，就使牧场内外气象一新，牛肥马壮，这不是一般人做得到的。再说这件事根本不能怪你，只能怪这些差役贪渎，营私舞弊，欺瞒上司。是他们的过错，与孔夫子无关啊！”孟僖子反过来宽慰孔子，将他扶起。

“大夫虽然不降罪于我，但仲尼恐怕没办法继续在官场为官了。”孔子说。

“怎么……孔夫子该不会为了这件事，想打消做官的念头吧？”孟僖子惊讶地问道。

“官场中的诡诡诈诈，的确让仲尼却步。仲尼希望先辞官一阵子，调整一下心绪……”

“嗯,也罢,就让孔夫子调息一段时间,日后再作打算吧!”

孟僖子多次挽留,但见孔子十分坚决,虽然心中不舍,也只好顺了孔子的意。

向郯子问官,向师襄学琴

孔子二十三岁(公元前528年)时,妻子又为他生下一个模样清秀的女儿,全家人都沉浸在娱子、娱孙的欢乐气氛中。

没想到颜徵在却在这样的气氛中染病逝世,享年四十岁。由于颜徵在没资格参加孔纥的葬礼,不知道孔家的祖坟在哪里;孔伯尼的娘虽然参加了葬礼,可是搬过家又事隔多年,她也弄不清楚确实的坟地所在了。

两兄弟只好回陬邑向旧邻居打听。幸好一位邻居朋友挽父曼的母亲记得,她对他们说:“你父亲下葬的时候我也在场……坟地就在尼丘山东南的防山上。”

孔子与哥哥赶紧到防山,找到孔纥的坟,把颜徵在的灵柩葬在父亲的墓旁。之后,孔子在家确确实实地守了三年的母丧,不听音乐,不吃美食,也很少出门,只留在家里读书。

孔子服完三年母丧那年(公元前525年)的秋天,鲁国的附庸国——郯国的国君郯子,要来觐见鲁昭公,鲁昭公设宴款待他。宴席间,叔孙婼是陪客之一,他问郯子说:“为什么少氏要用鸟名作为

官名呢？”

“少氏的‘挚’是我们郯国的祖先，传说在他立国的时候，有两只凤凰飞来，先祖认为凤凰是吉祥鸟，凤凰来栖是吉兆，所以以后就用鸟来记事，后来连官名也用鸟名。再往后更把焦点扩大，将各种鸟的图形展现在器皿、壁画、雕刻之中，这个习俗就这样流传下来……”郯子非常详细地说明。

孔子自学期间，对于郯国的官制有一些疑问，早就想拜望郯子。孔子的好友颜繇知道孔子的心思，一打听到郯子住宿的地点，立刻通知孔子，孔子连忙去拜见。郯子态度非常谦和，一一回答了孔子的问题。

孔子多年的疑问得到解答，心情非常愉快。后来曾对人说：“我听说天子的官如果做得不称职，就到四夷去学，这话想必是可信的。”

两年后，有一天，孔子在家闲来无事，一面弹琴，一面唱起歌来。这时，已经九岁的孔鲤好奇地过来探看。

“爹爹，您刚才弹的是什么曲？唱的是什么歌？”

“爹爹的琴艺与乐理都不够精湛，并不知道这是什么曲，也唱得挺不顺口的，不知道哪里出了问题？”孔子叹着气说。

“爹爹没有音乐老师可问吗？”孔鲤对父亲的印象，是无所不知的博学人物，一时真不相信父亲也有不会的时候。

“是该去请教音乐老师了。音乐老师……师襄……可是他远在晋国……”孔子一边说，一边陷入沉思考，最后他的心思动了起来。

几个月后，强烈的求知欲与学习热忱，让孔子背起行囊，离乡背井，翻越过太行山，前往远在黄土高原上的晋国，去向师襄学习琴艺与乐理。

孔子在晋国境内打听到师襄的住处，便兼程赶到师襄家。那是一个雅致又安静的家，孔子用手拍掉身上的沙尘，轻轻地敲门。

“打扰了，在下是鲁国的孔仲尼，请问师襄先生在家吗？”

门打开了，出现一位沉着而有气质的老人，面容和蔼地说：“我就是师襄。年轻人，你刚才说你是孔仲尼，可是鲁国那位有学问的名人孔仲尼？”

“不敢！那是国人赞赏过头了，在下正是孔仲尼。”孔子谦虚地说。

“久仰孔夫子的大名，今日得见，师襄真是三生有幸！不知孔夫子到寒舍有何贵事？”师襄没想到孔子会来找他，既高兴又狐疑，直接问道。

“仲尼听说师襄先生的琴艺精绝，特慕名前来拜师学艺，希望先生答应赐教。”孔子说明来意。

“这是说哪里的话，天下人都称孔夫子是个圣人，学问、品德样样都高，我才正要向孔夫子请教，没想到让你给占了先机了。”师襄说着笑了开来。

“师襄先生您客气了，在下琴艺尚待提升，万望先生不要嫌弃，赐教于我，我就心满意足了。”孔子再三恳请。

“孔夫子不嫌弃老夫琴艺粗浅，愿意登门请教，这是我的荣幸，哪有不教的道理。”师襄说完，拉着孔子的手进屋。

两人坐定不久，师襄抚弄着自己的琴，随手弹奏了一曲。这一曲让孔子听了浑身舒畅，简直把连日来的奔波劳累都抚平了。

此后，孔子就留在师襄家，师襄见他学得热衷，把自己多年的学琴心得，一古脑地全部传授给孔子，同时也把古今琴艺的差异变化分析给孔子听。

十多天后，孔子的琴艺增进不少，再次弹奏之前在家里所弹的那首曲子时，音律悠扬悦耳，震动人心。

“太好了，太好了，你已经把弹琴的技巧，掌握得差不多了，可以学习新曲了。”师襄听了，忍不住夸赞孔子。

“不行不行！我还没有弄清楚这曲子的内在含意呢！”孔子觉得不足。

过了几天，师襄又对孔子说：“你已经了解曲子的内在含意，可以学新曲了。”

“不行，不行！我还没有听出这首曲子是谁作的，也不知道这作曲人的胸襟、志向以及品德如何，我要再研究研究……”没想到孔子还是觉得学得不够深入。琢磨了好一阵子，最后孔子才满意地说：“我终于知道这乐曲是谁作的了。原来是周文王作的，怪不得！怪不得乐曲里所呈现出来的情操这样高洁，品德这样伟大，胸襟这样宽阔。”

师襄听了，惊讶得不得了，他拉着孔子的手激动地说：“你太了不起了！我听老师说过，这乐曲叫《文王操》，的确是周文王的作品。你对这乐曲的含意完全了解透彻了，琴艺又大大地精进，真是不简单啊！”

此后，孔子与师襄两人成为知音，每天弹琴论曲，不知不觉已经过了三四十天。孔子觉得该是回家的时候了，便依依不舍地对师襄说：“先生，承蒙您的教诲，使我的琴艺大进，真是感激不尽。今日在此告辞，希望日后有缘再见。”

“那都是因为你强烈的求知欲和认真的学习态度，才有这么快的进展，我只不过是顺势推你一把，什么忙也没帮呀！”师襄客气地说。

孔子再拜而辞，不久回到鲁国家中。全家人和许多学生，听到孔子回来，都跑来探望，孔子趁机弹奏几曲，众人大为赞赏。

各地君民慕名求教

不做官的这几年，孔子极力办理私学，私学随着他的名气也传扬开来，教学成为孔子的主要工作。

颜繇拜孔子为师后，整天跟前跟后地向孔子学习，一些弟子也由各地陆续慕名而来。

有一天，孔子正在为学生讲课，一位浓眉大眼的年轻人站在门庭外求见孔子。

“在下姓曾，名点，久仰孔夫子大名，特来拜师……”

“我就是孔仲尼！”孔子说。

“请孔夫子收我为徒，这十条肉干是拜师礼，不成敬意。”曾点[1]说着，奉上肉干，然后拍拍衣袍，双膝一跪，叩头敬拜。

孔子连忙扶起曾点，带与家人、学生认识。

又有一天，来了一个身材魁梧、腰佩宝剑、盛装打扮的人。

“在下仲由[2]，想要拜孔夫子为师……”

孔子见仲由穿得文不文、武不武的，全没一点礼数，就对他说：“你穿着这么华丽，行为却又粗鲁莽撞，没有礼貌，而且气势凌人，谁敢教你？谁敢指出你的不是？”

仲由听了，默默下去，不一会儿，换上一身武士装束，并且拔出宝剑在孔子的庭院内舞了起来。只见剑光闪烁，身影似蛟龙、如飞鸟，大家看得眼花缭乱，最后他顺势将剑收起，大声对孔子说：“听说孔夫子的令尊是名武将，在逼阳城扛城门的事迹，至今还有人传诵。夫子您身强力壮，想必也学过剑、习过武吧！”

“我听说君子是以忠、仁为根本，遇到不行善的人，就用忠信去教育他；遇到强暴蛮横的人，就用仁义去感化他，根本不必拿剑

1 曾点，字子晰，又称曾皙，鲁国南武城人，小孔子五岁。

2 仲由，字子路，鲁国汴地人，小孔子九岁，曾任卫国大夫孔悝封邑的邑宰。邑宰是古代地方区域“邑”的首长。

来自卫。”

孔子停了停，又接着说道：“以前商汤伐桀、武王伐纣的时候，并没有仗剑使力，却一一征服了他们，那叫以‘德’服人。只有以‘德’服人的人，才能让人心悦诚服，历史上有很多这样的例子。相反的，以‘力’服人的人，就很难让人信服了……”

仲由静静地听完，向孔子施礼说：“今天听了孔夫子的一席话，我好像久在暗室忽然见到明灯一样，整个心眼都明亮起来了。请孔夫子稍等一下，我换换衣服就来。”

仲由又进到里面去，这会儿换了一套书生穿的儒服，仪态也表现斯文起来，刚才那副武夫的粗鲁模样完全不见了。他走到孔子面前，倒身叩拜。

孔子见仲由粗率中带着几分憨厚，不觉打心眼里喜欢他，就进一步向他说明：“你说的没错，人一旦有了知识，心眼就能明亮，事事通达；不求知求学，就会退步，心眼被蒙蔽，容易经常犯错，最后等着他的，自然就是刑罚了。所以，人是不可以不发愤学习的呀！”

“可是，老师！世上有很多东西是天然生成的，好比南山的竹子，没有人修它，它却能做成笔直的利箭，连犀牛皮都能穿透。这不是天生自然的吗？它并没有学习啊？”仲由立刻提出心中的疑惑。

“你说的没错。但是如果把这天生的竹箭，装上锋利的铜箭镞，再用它去射犀牛皮，是不是可以穿得更透？”孔子乘机引导说。

仲由想了一想，觉得有道理，就不再说什么了。

之后，孔子又陆续收了许多弟子。

孔子住家庭院里的一棵大槐树下，就是他和他的学生经常上课、问答的地方，课程的内容包含诗经、礼、尚书、易经、乐等。

孔子会根据不同学生的个性特质，给予不同的指导，甚至不同学生问的相同问题，给予的答案也不相同。这种“因材施教”的方法，在当时也是破天荒的创举，更是吸引学生的一大招牌。

不久，齐景公和他的宰相晏婴[1]来鲁国聘问，齐景公久闻孔子的大名，便派人来请孔子见面一叙。孔子听完齐景公的使者说明来意后，赶紧换上合适的衣服前去谒见。

“久仰孔夫子的大名，今日有机会见面，实在是寡人的福气。”齐景公高兴地说。

齐景公也尊称孔子为夫子，赐坐之后，直截了当地问孔子说：“请问孔夫子，秦穆公当年是如何称霸诸侯的？”

“秦穆公称霸诸侯的主因是‘知人善用’。”孔子简洁地回答。

“郑简公和郑定公两位国君，用子产[2]为宰相，算是知人善用了，可是两位国君却都不能称霸诸侯，这是什么原因？”齐景公追问。

“郑国北有晋国、南有楚国，原本国势衰弱，人心不聚。但自从

1 晏婴，字平仲，齐国的宰相，孔子说他懂得交友之道，虽然和朋友交往久了，朋友都还是很敬重他。

2 子产：复姓公孙，单名侨，子产是他的字，当时担任郑国宰相，是个忧国忧民、具人道思想的人。他的思想行为，影响孔子很大，孔子很敬重他。

起用子产之后，百姓富足安康，外国也对郑国刮目相看，这已经是相当大的功绩了。如果郑国没有起用子产，恐怕现在要面临亡国的命运也说不定……”孔子分析道。

这时齐国宰相晏婴站在旁边，对于孔子的博学卓见十分佩服，他对孔子说：“孔夫子博学又有胆识，为何不出来为鲁国做事，为百姓植福？莫非您真的想教一辈子书，当个隐者吗？”

“仲尼所说的这些治国之道，都是前人留下的，我只是转述而已。在朝为官时的一些政治诡诈，仲尼实在无法苟同，因此还是选择教书为业……”

孔子回忆起担任乘田吏时的诡诈，至今仍心有余悸、不能释怀。晏婴不知道孔子有这段过去，心中直打问号。

之后，齐景公和晏婴两人又向孔子请教许多问题，孔子都能一一对答如流，毫不含糊，两人都打心里对孔子佩服万分。三人从白天直聊到天黑，孔子才辞别离去。

其实孔子的心里是矛盾的，他的潜意识里何尝不想像郑国的子产那样，有机会施展自己的抱负，恢复周礼，治乱平世。可是官场的诡诈、三桓的干政……这种种的问题又纠缠着他，让他踏不出从政的步伐。

“您真的想当一辈子隐者吗？”晏婴的话在孔子的脑际萦绕，使他的心情不知不觉沉重起来。

指认瓦盆上的怪物

也许是孔子出头的时候到了，鲁国发生了一件事，让孔子的声誉又上一层楼。

事情是这样的，季孙意如家要掘一口井，由土中掘到一个瓦盆，瓦盆上有像羊一样的怪物图，家人也不知道那是什么东西，赶紧向季孙意如报告。

季孙意如向很多人请教，都没人知道答案。家臣阳虎认为“是让孔子出糗”的时机到了，就向季孙意如建议说：“相国，外人都说孔仲尼的学问好，何不派人去问问他？”

“啊！是了，我怎么没想到。”季孙意如立刻派了一个机灵的家丁去向孔子问这件事。

“你去问时，不要说出瓦盆上有羊图的事……就说是猫或狗都行。哼！看他还能知道什么！”阳虎吩咐家丁说。

季孙意如的家丁来见孔子，劈头就说：“我是相国府的人。相国家在掘井时，挖出一个瓦盆，上头有个像狗的图案，大家都不知道那是什么东西，相国特派我来请教孔夫子。”

“你说狗？不对！不对！绝不是狗。我听有见识的人提过：在木石上的怪物叫作‘夔魍魉’，在水里的怪物叫作‘龙罔象’，在土瓷上的怪物叫做‘谷羊’。所以，瓦盆上的图案应该是羊才对。”

相国的家丁吓了一跳，心中不由得佩服起孔子的博学，连声道

谢后，便直奔相国府去报讯。

季孙意如听了，不得不心服口服。

一旁的阳虎听了，表面不露声色，心中却懊恼得很。这次不但让孔子出糗的目的没有达成，反而让季孙意如对孔子刮目相看，心中的气恼可想而知。

这个事件不久就在鲁国的街头巷尾传开了，大家更把孔子崇拜得像神一样，认为他是“无所不知、无所不晓”的圣人，孔子的名望又升高了许多，连他的学生都与有荣焉。

恰巧季孙意如无意间听到阳虎在暗中不断增加私人力量的消息，觉察到必须培植新的力量来钳制阳虎，否则后果不堪设想。

他仔细思考了一下，想到了孔门师生是很好的资源。

孔子之前曾被孟僖子网罗，后来听说厌倦官场里的诡诈，辞官回去教书。

“我这就去找他，万一找他不愿意，也可以请他推荐他的弟子呀！”季孙意如自顾自得意地说着。

不一会儿，季孙意如就派人请孔子到相国府，并说明本意。

“我的学生不少，但目前具备做官才能的人，只有仲由一人。”孔子回答说。

“太好了！我就派他去当邑宰如何？”季孙意如很高兴，还没有听完孔子的话就抢着问。

“仲由的个性耿直，一旦做官一定会秉公处理，认真做出一番

事业来。可是，他有个缺点就是个性过于鲁莽、急躁，目前还不是担任邑宰最适当的时候……”孔子解释说。

季孙意如听完很失望，孔子安慰他说：“相国请放心，我培育学生的目的，就是希望他们能够报效国家，一旦时机成熟，国家有需要，我一定会推荐给相国的。”

孔子回家后，把与季孙意如说的话告诉学生。

“老师，什么样的人才可以做官呢？”学生闵损立刻提问。

“学业学得差不多又有空闲的人。”孔子回答。

“做官需要注意什么？”闵损又问。

“对上要尊敬天子、国君，对下要为百姓谋福利，并且要体恤老幼，广泛听取志士仁人的见解，这样才能把官做好。”孔子说。

“多谢老师教导。”闵损谢过老师。

富贵公子衔命拜师

教学的日子平静无澜，直到有一天，冉耕匆匆忙忙地从外面跑了进来，一面大声叫着：

“不好了！老师……郑国的宰相子产死了。”

“你说什么！天啊！怎么会……”

孔子听了这个消息，无力地跌坐在椅子上。

“老师，您为什么会为子产的死，这么难过呢？”一旁的仲由好奇地问。

“子路，你不知道啊！子产是一个非常博学又贤德的人呀！他担任郑国宰相期间，不但举荐贤才、忧国爱民，而且做任何决策都小心谨慎、考虑周详，从来没有出错过。

“郑国经过他的治理，不到三年，内部社会安定，对外也得到许多国家的尊重，是个了不起的人物啊！我一直想去拜访他，可惜都被一些杂事耽搁了……如今……怪老天不让好人长寿呀！”

孔子说到这里，眼眶泛红，难过得说不出话来。孔子为了这事，抑郁地过了好几天，直到学生们陪他到尼丘山上去散心之后，心情才平复一些。

同一年，鲁国的孟孙大夫家也起了波澜，就是孟僖子病逝。他临终前特别把南容[1]与孟孙何忌[2]两个儿子叫到床前，对他们说：“我一生太平凡，没有遇见什么大事，要说有的话，就是有机会认识孔夫子。他的学问渊博、道德高深、精通六艺……一心想恢复周礼，是非常了不起的人物……你们一定要去拜他为师，将来做出一番丰功伟业来，别像我……”

孟僖子死后，孟孙何忌便不在乎自身为富贵公子的身份，与南

1 南容，字子容，名约，又名适，孟僖子的儿子，因居住在南宫，谥号“敬叔”，人称“南宫敬叔”。

2 孟孙何忌，南容的兄弟，继承了孟僖子卿大夫的职位，谥号“懿”，人称“孟懿子”。

容依照孟僖子临终遗命，来到孔家拜师。

“拜见老师。”孟孙何忌与南宫两兄弟一见到孔子，就俯身下拜。

“难得两位贵公子愿遵父命，不嫌弃我是一介布衣，愿来拜师求教，我自然会倾心相教。两位快快请起！”孔子将他们扶起。

“请问老师，什么是‘孝道’？”孟孙何忌问道。

孔子知道孟孙何忌正在为父亲的死伤心，便对他说：“父亲在世时，留心观察他的志向；父亲去世后，要根据他一生的作为，照着父亲的想法办事，这样就算是‘孝道’了。”

“我要如何尽孝呢？”孟孙何忌又问。

“只要不违背礼，就是在尽孝道了。”孔子知道孟孙何忌正在办丧事，就以此事提醒他。

“弟子一定照办。”孟孙何忌说。

自从两位贵公子来拜师之后，慕名而来求教的人更多了，连商人的孩子也都来了，只要有诚意，无论备了多少拜师礼，孔子都照收。因此，孔子的私学越办越兴盛，直到颜繇被阳虎的人给打伤了。

颜繇那天在街上和几个市民聊起私学，颜繇不断鼓吹私学的好处，说是穷民翻身的希望。不料，阳虎的人正好经过，两边言语不和，就把颜繇打成重伤。

孔子急忙跑去探望。

“尧定了《五典》，并没有说过贫民不能读书；周礼是我熟悉的，里面也没有规定贫民不可以读书。所以，这种事实在不应该发生，尤其发生在重礼的鲁国……莫非鲁国早就背离了周礼，才会发生这种事？如果这样，让我如何教下去？”孔子生气地对同来探望的南容说。

“快别那么激动了！我没事……哎哟！好痛！”颜繇忍痛反过来安慰孔子。

“老师您先别泄气！我一直认为办私学没有什么不好的，既不必花公家的钱，又能让更多人受教育，减少做坏事的几率……”南容是站在孔子这边的。

“我也是这么想，可是其他人就不是了，最起码阳虎就不认同。”孔子还有些气。

“我了解！不过，他是季相国的人，平日又蛮横得很，一时又治不了他……得从长计议……”南容有点为难地说。

孔子像泄了气的皮球，没再说什么，脸色十分难看。

“南容，你想不想为老师打打气？如果想，就先替老师打点两件事……”在沉闷的气氛中，颜繇忽然这样说。

“你什么时候变成我肚子里的蛔虫了？”孔子狐疑地看着颜繇说，不知他葫芦里卖什么药。

“我是你死忠的朋友，又是你的爱徒，你的心事我怎么会不知道？”颜繇得意地说着。

“哪两件事？”南容好奇地问。

“咱们的老师一直想去洛阳天子的太庙，参观宗周的文物；另一个，就是去拜望老子[1]。这两件事，如果你能办成，就可以让老师教书的意愿提高。而且从洛阳回来以后，那些野蛮人也该反省够了，行为应该会收敛一些才是。”颜繇说。

孔子听了，掩不住心中的高兴，颜繇果然说中了他的心事。不过，孔子的个性稳重，他只浅浅地一笑，不置可否。但南容却看出了门道，说：“这两件事并不难办，我直接和主公说去。”

南容说完，三人脸上同时绽露出喜悦的笑容。

到洛阳学礼，向老子问礼

南容毕竟是卿大夫家的人，在朝廷中有些关系和影响力，很快便得到鲁昭公的召见。他一见到鲁昭公，便直接说明孔子受到的委屈。

鲁昭公前几年见过孔子，本想让他为官，不料相国反对，只好作罢。但他对这件事一直耿耿于怀，觉得十分可惜，如今听到他受委屈，心中很为他抱不平。

“公子对这件事有何高见？”鲁昭公问。

“我的老师一再地主张要推行周礼，就是希望能正名，要君臣都讲究君臣之义，守君臣的本分。现在天下诸侯、大夫们，以下犯上

1　老子，姓李，名耳，字伯阳，谥“聃”，也称李聃，楚国苦县人。

的例子实在太多了，他真是看不下去。如果主公能让周天子也听到我老师的说法，说不定会对那些叛逆的臣子有所约束。”南容说。

“嗯，公子说的有理。可是，要怎样才能做到这点呢？”鲁昭公追问。

“只要主公派一辆车给我，我就劝我老师到洛阳去，让他名义上是在那里学礼，事实上是去宣扬周礼。如果有机会让周天子知道，说不定可以把主公您在鲁国受到的不公平说上一说……挫挫那些逆臣的锐气。”南容回答。

“嗯，有道理！好！我这就给你一辆车、两匹马、一个驾车的仆役，让你请孔夫子到洛阳去考察周礼，好好地把周礼宣扬一番……”鲁昭公高兴地同意。

“多谢主公！”

南容很快向孔子报告洛阳成行的消息，孔子非常高兴，两人火速安顿好颜繇的照顾问题后，便愉快地向洛阳出发。

几天后，他们攀过了一座高山，在山下看到有人在捕雀，捕到的却都是黄口的小雀。孔子觉得好奇，问捕雀人说：“为什么你们只能捕捉到小雀，却捕捉不到大雀呢？”

“大黄雀比较机警，所以不容易捕捉；小黄雀贪吃，经常自投罗网，如果它们随大黄雀飞走就不会被捕了。”那人回答。

“南容，你看！机警的可以避祸，贪吃的容易丧生。任何事情的祸福，都是自己招来的呀！君子应该慎选朋友交往，以不贪的朋友最为珍贵，千万要记住啊！”孔子听后对身边的南容说。

“弟子记住了。”南容点头说。

孔子一行人走着走着，洛阳（在洛水之阳〔北〕而得名）国都已经在眼前了，这是周天子住的都城，城阙宏伟、街道热闹宽广，显然又比曲阜繁华得多。

孔子的个性好学，只要听说谁的学问好、知识渊博就会去拜访。这回有机会到达洛阳，自然不会错失拜望当地名人——老子的机会。

老子已经七十多岁了，头发全白，但是精神还很好，此时正担任周天子的藏书馆馆长。传说他十分博学，擅长“礼”与“道德”，自有一套道德理论。他事前接到孔子来信说要来拜访，便派人扫街，亲自在街旁等候。

孔子一到，立刻献上一只大雁作为见面礼。老子也拱手还礼，双手接下孔子的见面礼，亲自带孔子到驿馆里休息。

隔天，孔子前往老子家拜访，再次说明来意：“久闻馆长博学，特来请教礼、乐与道德，希望馆长不吝指教。”

“岂敢岂敢！礼和道德方面，在下略有心得，可以与孔夫子切磋琢磨一番。但是乐的方面就不是在下的专长了。”老子说。

“不知有何人可以请教？”孔子问。

“这里乐方面的专才，首推苌弘，他们祖孙三代都是周王室的乐官，有关乐方面的知识，去请教他就对了，不过他现在人在齐

国……”老子笑着说。

“太好了！可否请馆长写一封推荐函，让仲尼带去？”孔子说。

“没有问题！”老子说着，一面吩咐奉茶。

“礼真的那么重要吗？如果大家都不守礼，会怎么样呢？”孔子想确认礼的重要性。

“如果大家都不守礼，长幼就没有秩序、族人不和、君主没有道德、百官没有体制、军队不战自败。那样就好比瞎子摸象，不知事物的全面；又好比瞎子站在深渊附近而不自知，这是非常危险且遗患无穷的事啊！”老子慎重地说。

“敢问现在的礼和‘古礼’有什么不同？”孔子又再请问。

“一般人所谓的‘古礼’，是指周初由周公制定的礼，也就是‘周礼’。那时候有关礼的制度健全，君臣上下都讲究礼。后来周王室的势力衰微，诸侯并起，‘周礼’几乎毁坏不存在了。现在的人更不重视‘周礼’，只有在宗庙、明堂以及郊社的典礼仪式中，勉强可以见到一些‘周礼’。”老子解释说。

“为什么只能在宗庙、明堂以及郊社的典礼仪式中，才能见到‘周礼’？”

“宗庙是周天子历代先祖的宗祠，其中的祀礼、祭器都还十分讲究。明堂则是周天子宣达政教的地方，无论建筑风格、雕像、彩绘等都有一定的规制，是非常值得见习周礼的地方。至于郊社典礼是指郊祭和社祭大典：郊祭是天子祭天的典礼，通常在冬至举行；社祭是诸侯祭地的典礼，通常在夏至举行。这两种祭典中，也可以看到许多周礼的展现。只可惜典礼举行的时间，我们没能赶上……”老子详细地说明。

“请问郊祭的礼仪次序是……”孔子又进一步请问。

“先到祖庙祝告，选定郊祭日期，然后……”老子一一说明。

老子一边说明，一边注意孔子，见孔子兴致勃勃，一点也没有厌倦的样子，露出和蔼的笑容说：“如果你有兴趣，我可以带你到这里的宗庙、明堂去参观参观，顺便解说，这样两相对照，你会了解得更透彻。”

“能得到馆长的引导，仲尼真是三生有幸！”孔子大喜。

第二天一早开始，连续好几天，老子带着孔子、南容一起到周的太庙参观，接着又参观了明堂，孔子对于周礼的了解更深了。

如此游历了一段时间后，孔子向老子告辞。临走前，老子对孔子说：“古人为朋友饯行，有钱的送钱，没钱的就送朋友珍言。我是属于后者，想随俗地送你几句肺腑之言，不知你可愿意听？”

“仲尼洗耳恭听。”孔子说。

“有三件事向你建议，第一，你现在所研究的学问，是古人留下来的，虽然珍贵，却应该讲求变通，不要把它当作不可改变的铁律。第二，有身份的人出外有车固然最好，如果环境条件不允许，也不必非要按照古礼，没车出行也是行得通的。第三，有学问的人应该深沉稳重，藏而不露才好。”老子诚挚地说。

“多谢教诲！仲尼铭记在心！”孔子再拜告辞。

鲁国内乱，避居齐国

就在孔子到洛阳学礼的几年间，国际间接连发生了几件大事：

楚平王杀了伍奢和伍尚，伍奢的另一个儿子伍员逃到吴国。

宋国的华定等人谋反，想杀死宋国国君，事迹败露，也逃往吴国，来年又请吴国发兵攻打宋国；卫、晋、齐三国发兵救宋，大败吴兵，华定等人从吴国逃到楚国。

蔡灵侯的孙子杀了蔡平侯自立，是为蔡悼侯。

周天子景王去世，周悼王继立，被王子姬朝杀死。晋发兵讨伐姬朝，另立周敬王，不久姬朝又攻进王城，周敬王出奔，躲在狄泉。

吴国进攻州来，楚、陈、蔡与吴在鸡父大战……

孔子每次听到这类的消息，就心如刀割，觉得这样的乱世、这样的战争，为百姓带来了多少苦难！国际间的礼治已经败坏到这种地步，如果再不赶快振兴周礼、彻底执行周礼，往后只有更加恶性循环了。但是，要如何恢复、如何执行呢？

孔子的心不断煎熬着……

公元前517年10月，鲁国发生内乱。

起因是季孙家与郈孙家是邻居，两家大夫为了所养的鸡经常相斗。有一回，季孙家暗中给鸡穿上盔甲，被郈孙家发现，也帮自己的鸡戴上铜爪，双方闹得不可开交。

季孙意如一生气，故意扩大自己的房地，要求郈孙家让地，把郈昭伯给惹火了。季孙意如的叔叔季公若，平时对季孙意如很不满，献弓箭给鲁昭公的儿子公为，并且和公为商量好对付季孙意如的办法。公为把事情告诉弟弟，弟弟又告诉鲁昭公。

鲁昭公正想乘机打压季孙家的势力，就派郈昭伯讨伐季孙意如。季孙意如的家臣说服了叔孙婼和孟孙何忌，合三家大夫的力量打败了郈昭伯。九月时，鲁昭公见大势已去，逃到齐国的阳州。其间，叔孙婼曾经设法迎接他回鲁国，可惜事情还没有办成，叔孙婼就死了，儿子叔孙不敢（叔孙成子）继承了大夫的职位。来年（公元前516年）3月，鲁昭公靠齐国的兵力夺下鲁国的郓邑，在当地住了下来。

鲁国自从鲁昭公出走后，国政更乱，几乎变成季孙意如专政的局面。孔子见到鲁国的乱局，暗地里为鲁国忧心不已。

一天，仲由怒气冲冲地向孔子报告说："老师！季相国越来越过火了，他不但逾越礼数用八佾舞[1]来祭祖，还明目张胆地建起仪门[2]！"

孔子听了，脸色都变白了。他生气地说："这季相国简直太不像话了，这种事如果可以忍下，天下还有什么事不能忍的……"

1 八佾舞在周朝的礼制中，是天子才能用的舞乐，舞者排成八排，每排有八人。诸侯、卿大夫只能用六佾舞和四佾舞。

2 天子住的宫廷才可建成九进，有前后院，院与内庭间建有仪门把前后院隔开。

弟子们第一次看到孔子这么生气，一时之间都不知所措。

孔子气得在家中走来走去，思考了一阵子后，才平静下来对弟子说：“古书说‘混乱的国家不可以久待’，鲁国不能再待了……我在想……齐侯收留了我国出走的国君，又能礼贤下士，我想到齐国去，看看有没有可以发展的机会。”

这次的乱局，让孔子下定了想从政、施展抱负的决心。

几天后，孔子与弟子一行人收拾好行李，一起往齐国出发。

走了几天，到达齐、鲁的边境，忽然听到女人的哭声。

“老虎吃了我的公公和丈夫，又吃掉我的儿子，我的命好苦啊！呜……”

“既然这里这么危险，你为何不搬走呢？”仲由听了忍不住问她。

“我不能搬啊！这儿虽然有老虎，可是不必缴税呀！”女人擦着眼泪回答。

孔子的心被触动一下，立刻回头对弟子们说：

“你们看，苛政重税对老百姓来说，比老虎还凶猛可怕啊！”

众人听了一阵唏嘘。

闻韶乐三月不知肉味

孔子一行人一进入齐国境内，就感受到齐国的富庶繁荣。

齐国是当时东方的大国之一，一百多年前，齐桓公靠着管仲的

辅佐，打着“尊王攘夷”的口号，成为春秋五霸之一。现在，齐景公在位，国势虽然衰退了不少，不过由于地广人稠、土地肥沃，仍在强国之列。

众人眼睛正忙着四处观赏游览时，有一队车马过来，为首的是一位五十多岁的中年人，到了孔子一行人前面时，下马施礼说：“我是齐国大夫高昭子，请问来人可是鲁国的孔夫子？”

“正是孔仲尼，高大夫有请了。”孔子听到，连忙应声回礼。

“我听说孔夫子来到齐国，特来迎接。”高昭子说。

“怎敢有劳高大夫亲迎！”孔子谦逊地说。

当下，高昭子将孔子一行人引回他的大夫宅第休息。第二天早朝，就将孔子来访的消息向齐景公禀告。齐景公立刻召见，几句应酬寒暄之后，就问孔子说：“人和人的关系要怎么样才算好的呢？”

“做君王的要像个君王，做臣子的也要像个臣子，当父亲的要像个父亲，当儿子的要像个儿子，这样人与人的关系就能维系得很好。”孔子回答。

“我在位多年，自信爱护百姓、选贤举能，四方国家都称颂，可却不能像先祖齐桓公那样成为霸主，这是为什么呢？”齐景公又问。

孔子来齐国之前，就听说齐景公用晏婴为宰相，其实是有想再度称霸诸侯的野心，齐景公现在的话，果然有了印证。

“主公若想让国富民强，首先就要反对奢侈浪费，推行节约之风。”孔子不慌不忙地回答说。

“孔夫子的看法与晏相国相同，难得，难得啊！”齐景公说着，满意地笑了起来。

孔子到齐国来，心中一直记挂着鲁昭公的安危。所以，一出宫就暗中派闵损去郓邑探望鲁昭公。听到他“身体无恙，只是心情不好”，心中的石头才落下。

公元前514年3月。

“老师！听说我们的主公迁移到晋国干侯[1]这地方去住了……”闵损向孔子报告说。

“唉！国不可一日无君。鲁君已经流落在外这么久了，实在不是办法……”孔子觉得无能为力地摇头叹息着。

不到一个月，晋国的魏舒灭了祁氏和羊舌氏两家大夫横行的政局，总揽政权，将祁氏分成七邑，羊舌氏分为三邑，推选贤能的人士去当邑宰。

孔子听到这个消息，对魏舒大表赞扬说：“魏舒这种近不避亲、远不失该推荐的人的做法，是最合乎道义了。”

“老师，人家的大夫这样贤明，我们的大夫却专权独断，实在是太过分了！干脆我冲进相国府，把季相国一刀杀了，免除大患……”仲由生气地说。

“子路，快别胡说了！相国岂是你胡乱可以杀的？”

孔子转头向四周张望，发现没有旁人，才稍微放心。然后小声地

1 河北成安县东南的斥邱古城。

对仲由说："再说，相国府戒备森严，杀他哪有那么容易？一旦事情闹大了，首先遭殃的一定是老百姓。"

"这样也不行，那样也不妥，难道我们只能坐着干瞪眼不成？"仲由气急败坏地说。

"目前的确没有好办法……只能稍安勿躁……"孔子无可奈何地说。

过了几天，天气燥闷，鸟儿在树上吱吱喳喳地叫着，显得很焦躁的样子。孔子见了，就对高昭子大夫说："高大夫，看这天气是大水要来的气象，最好赶快通知各地官员和百姓，尽快疏通沟渠、河道，做好预防措施。"

高昭子半信半疑，不知道这讯息是真是假。但后来想到"反正有备无患"，就连夜通知都城的官员与百姓，做好各项预防措施，隔天一早则率先向齐景公禀告。

齐景公听后，向群臣询问意见。

"这些话毫无根据，根本是迂腐之见。"晏婴首先出列说。

其他大臣也附和晏婴的话，以致齐景公犹豫不定。没想到大家还没讨论定，天空忽然闷雷一响，大雨倾盆而下。不久，各地都传来涨水的消息。群臣此时谁也不敢再说话。

齐景公后悔地对高昭子说："寡人后悔不该不听高爱卿的话，现在该怎么办？"

"主公放心，下官昨夜已经通令百官、邑宰与百姓，预先做好防灾措施。我当时只是想反正有备无患，没想到真的派上用场。这孔夫子真是不简单啊！”高昭子庆幸自己做了准备，心里更对孔子的广见博闻佩服不已。

“喔，如此甚好，如此甚好！高爱卿真是办事周到啊！”

齐景公听完，露出满意的微笑，一面又赞赏孔子：“孔子真是个圣人！料事如神，并非虚名啊！”

齐景公见识到孔子的广见博闻之后，经常请孔子进宫。

这天，孔子进宫时，有一位乐师在旁演奏，孔子觉得他所弹的乐曲非常优美，就问齐景公：“不知现在乐官弹的是什么乐曲，音调优美极了！”

“我也不知道！不过，你可以直接问乐师啊！来！苌弘，你过来！我向你介绍，这位是鲁国孔夫子！”

齐景公招手把乐师叫来，又回身对孔子说：“孔夫子，这位是乐师苌弘，他曾经是咱们天子的御用官呢！”

苌弘是个四十多岁的中年人，由乐队中出列，他气质高雅、文质彬彬地向孔子施礼说：“孔夫子大名，享誉国际，今日得见，真是苌弘的大幸！”

“原来是苌弘大师，仲尼一直想拜望，没想到在这里碰见，真是太巧了。”孔子在这里见到苌弘，感到非常意外。

两人一见如故，似乎有说不完的话，孔子不停地向苌弘提出有关乐方面的问题，齐景公总算见识到孔子的好学与勤问，对孔子印象

深刻。

隔几天，孔子带着老子的推荐函，前往乐师苌弘的家去拜望。苌弘见了老子的推荐函，更加热情地款待孔子。

进了苌弘的家，摆设一如主人，处处呈现出高雅、典朴。孔子与苌弘寒暄了一下，便接续上次见面未完的话题，问道："上回我们谈到《武乐》和《韶乐》。请问《武乐》和《韶乐》有何不同？"

"《武乐》是描写武王的乐曲，主要在叙述武王伐纣，以及救百姓脱离苦难的音乐，音调柔美，但含意太深奥，不易弄懂，可说是尽善却不尽美的乐曲。《韶乐》是描写虞舜时的乐曲，主要是阐述虞舜继承唐尧以来的德业，音律和谐悦耳，音义都美，可说是尽善尽美的曲子……"

苌弘不厌其烦地继续解说："譬如《大武》这首武乐，曲子分为六段，第一段是描写武王击鼓出师，第二段是描写战伐灭商，第三段是描写回师南征，第四段是描写巩固南疆，第五段是描写分职而治，第六段是在颂扬盛威。我弹给你听听……"

苌弘抚琴弹了一首《大武》曲与孔子分享。苌弘的琴艺高超，孔子只觉得曲调优美，一会儿波澜壮阔有如千军万马，一会儿流畅不断有如细水慢流，让孔子赞叹不已。

苌弘抚琴又弹了一首《韶乐》，孔子听得如痴如醉，只觉得浑身的毛细孔都舒畅得不得了。

孔子拜辞苌弘返回驿馆之后，每天都觉得《韶乐》的美妙音乐，一直在他的耳际萦绕，那种美妙的感觉，使孔子连吃肉都觉察不出肉味，直到第三个月后，这种状况才恢复正常，这真是让孔子想也没有想到的事。

之后齐景公又多次召见孔子，询问为政的方法、原则，孔子回答的头头是道。齐景公十分佩服，想把孔子收为己用，有意将尼溪这块地封给孔子。这个主意后来被晏婴反对，孔子也以“无功不受禄”的理由拒绝而作罢。

又有一天，齐景公对大臣们说：“各位爱卿，寡人想要任命孔子为官，各位认为怎样？”

“臣听说儒生们大多注重礼、崇尚清高、好空谈，这样的人常常摸不着实际状况，不能和下属们一起做事，也容易有高傲、瞧不起人的态度，一味讲究琐碎的礼节，吃饭、走路都要求有个样儿，否则就认为不合礼。让这样的人来治理齐国，怕会把齐国的百姓搞得天翻地覆，混乱不堪啊！还请主公三思！”晏婴奏道，言语中透露着几分嫉妒。

“是呀！如果他有真才实学，为什么不在鲁国施展呢？”齐大夫鉏也奏说。

“他是鲁国人，会为我齐国死忠效命吗？”另一位大臣说。

齐景公想了想，觉得臣子们说的有道理，就没有任命孔子为官。此后，齐景公开始疏远孔子，有一天，甚至对孔子说：“我不能像鲁君那样拜你为上卿，又不忍心让你担任下卿，只好待你在上、下卿之

间了。”

孔子听出齐景公的不耐与不敬，本想就此离开齐国。若不是高昭子深信孔子的才德，勉力强留，并且表示会说服齐景公任用孔子，孔子早就离开了。虽然一时走不开，但孔子心中似乎已做了“随时离开”的决定。

“寡人老了，体力不行了，不能用你的计策了。”齐景公对孔子挥挥手，说了这样的话。

孔子听了十分难堪，想不到这一天终于到来，没想到“以礼治天下”的理想，在鲁国推行不了，在齐国也一样无法推行。

孔子止不住心里的失望和悲伤，三年了，连一官半职也没有担任过，就要离开了。几天后，孔子趁高昭子上朝的空当，带着弟子不告而别，回到鲁国。

为女儿、侄女选婿

孔子回到鲁国，才得知哥哥孔伯尼在他岳父家去世的消息，原来派去通知讯息的信差，到齐国报丧时，孔子正好离开齐国，两边就这样错失了。等到孔子回来，孔伯尼已经入土为安了。

为了妥善照顾哥哥的孩子，孔子把孔伯尼的子女孔忠和孔无加，全都接回来一起照顾。

孔子的弟子南容，很喜欢读《诗经》，平日谨言慎行，孔子认为他是一个有道德的君子，便对妻子亓官氏说："南容这个弟子，在有明君、国势强的时候，可以出来做官，不会被舍弃；在国势弱、昏君在位的时候，也不会同流合污。我想把侄女无加嫁给他，你看如何？"

"南容是你的弟子，他的品性道德你最清楚，我没有意见。"亓官氏没有表示异议。

过了不久，孔子又对亓官氏说："我的弟子公冶长[1]，很有修养又能忍辱负重，我想把我们的女儿无违嫁给他。你认为如何？"

"公冶长不是坐过牢吗？这样好吗？"亓官氏有点担心地反问。

"他虽然坐过牢，但那不是他的错呀！只是因为他懂鸟语，被人误会才入狱！鲁君后来也知道错怪他了，出狱后送他很多礼物，还要任命他为官，但是都被他拒绝了。"孔子解释说。

"为什么呢？"亓官氏问。

"因为他希望君主看重的是他的才德，而不是他懂鸟语啊！"

"果然是个君子！我同意女儿嫁给他。"亓官氏说。

孔子为侄女和女儿选定了夫婿，两女也都表示听凭孔子的安排，南容和公冶长也都不反对。于是，很顺利地完成了这两桩喜事。

1 公冶长，字子长，齐国人，据说懂鸟语。

游泰山遇荣启期

“不好了，老师，听说吴国公子光，派专诸刺杀了吴王僚，自立为君王了。”颜繇来向孔子转述国际新闻。

“唉！这样的事，到底什么时候才能停止呀……”孔子听了，无奈地摇头叹息，闷不吭声地走进屋内。

几位弟子见孔子心情不好，游说他到泰山游览，散散心。果然如弟子所料，孔子见到泰山的雄伟，心情好多了。

“前一阵子和你们一起登峄山[1]往下望时，觉得鲁国变小了。现在登上泰山，看得更远，觉得整个天下都变小了。”

当众人从泰山下来，在回家的路上遇到一个老人，一边弹琴、一边唱歌，非常满足快乐的样子。

“请问老人家，您是哪位？为什么这么开心啊？”孔子下车向他施礼问道。

“喔！我叫荣启期。有三件事让我觉得很开心：第一，万物之中以人为贵，我正好是人；第二，男女有别，但男尊女卑，我正好是男的；第三，人的生命有定数，有些人一出生不久就死了，而我如今已活到九十五岁了，能说、能唱、能弹琴，就算随时死去，也不会有任何遗憾了。”老人说完，继续唱着歌离开了。

“这位老先生，真是一个知足的人啊！”孔子对弟子说。

1 山名，在鲁国的附庸国邾国境内，即现在山东省的邹县东南，又称邹山。

孔子回去后，不断回想老人的话，老人似乎话中有话，仿佛有意在劝他“推行周礼难成，不要太执着了”。我怎么会不知道呢！只是我如果不执意追求理想，如何能达到我的目标呢？但是，如今礼乐受注重的程度已经大不如前，就算我有恒心、毅力，也是孤掌难鸣啊！

孔子边想边叹气，混乱的时势与现实，都让他觉得失望。可是，孔子忽然转念一想：如果……我一面继续追求理想，一面借着教育传达我的思想，岂不是可以启发更多的人，增加同伴数量……

想到这里，孔子的心中有了定向。

公元前511年的春天，晋侯忽然说要派军队护送鲁昭公回鲁国。

季孙意如听到消息，焦急地在府中踱来踱去，不知如何是好。没等他想到办法，晋侯使者荀跞已经派人来请，季孙意如只好硬着头皮前去。

“你为什么有国君不侍奉，把他赶出国去，又这么久不请他回国呢？”荀跞质问他。

“我怎敢不侍奉我的国君呢？请国君回国是我的愿望啊！如果国君因为之前的事要治我的罪，我也不会逃避罪责呀！”季孙意如跪趴在地上很谦卑地说。

荀跞见季孙意如有诚意，便带着季孙意如去迎接鲁昭公。

鲁昭公在外流亡多年，寄居他国篱下，吃尽苦头，哪有不想回国

的道理。可是多疑的心性使他对季孙意如的诚意存着防心，深怕这是季孙意如设下的陷阱，想要取他的性命。另一方面鲁昭公的手下们也担心遭到季孙意如的迫害，所以请鲁昭公一定要先要求荀跞赶走季孙意如，才肯和鲁昭公一起回国。

“我国主公为了让你回鲁国，已经费了很大的心力，深怕因此招祸。现在你又要求他涉入贵国的内政，这样恐怕不妥吧！如果你执意这样做，我只好这样回复我的主公了。”荀跞很不高兴地说完，回复晋侯去了。

最后是鲁昭公遭到手下的阻拦，回不了鲁国。季孙意如请不回鲁昭公，有点恼羞成怒，只好自己回鲁国。来年（公元前510年）冬天，鲁昭公就在想回又不想回的层层起伏心潮中，忧郁地过世了。第二年，季孙意如就理所当然地拥立公子宋即位，是为鲁定公。

季孙意如之所以看中公子宋，是因为公子宋在宫中一向荒淫过日，不爱理朝政，正合季孙意如的意，这样他才有机会独揽政权。

新君不理朝政，九月才为干旱忙着祈雨，十月竟然下起大霜，冻坏了许多农作物。来年的五月，发生火灾，烧去鲁宫的南门和左右两座观阙（门）。灾祸接连不断，人民叫苦连天。

悲天悯人的心，让孔子无法再安心教书，决定谒见鲁定公，为人民请命。

孔子进宫时，鲁定公在宫里的乐舞酒色中逸乐，完全不知道百姓正受着苦，孔子不觉皱起了眉头。

鲁定公听说闻名的孔夫子进宫求见，非常意外，素闻孔夫子最讲礼仪、制度，便慌慌张张地请他进殿，一面又赶忙叫人把一班乐舞的人全都撤了。

“久仰孔夫子的大名，今日来见寡人，不知有何指教？”鲁定公问孔子说。

“主公，今日仲尼来此，是想为百姓请命。”孔子回答。

“哦？百姓怎么了？”鲁定公疑惑地问。

“鲁国连年灾祸不断，先是干旱，接着又遇大雪，冻坏农作物，百姓饥饿冻死的不计其数。仲尼特来恳请主公为了百姓，重整朝纲，拯救百姓于水火，否则国家的运势恐怕无法挽救……”孔子说。

“有这么严重吗？寡人都不知道。嗯——那孔夫子认为，寡人该怎么做呢？”

看到鲁定公昏昏庸庸的样子，孔子实在很失望。

“请主公先开仓赈灾；其次重罚乘机搜括的贪官污吏；第三，另选才能之士接任官职；第四，鼓励百姓努力耕作，奖励设立手工坊的业主；第五，增设学堂，不分贵贱，加强教化百姓遵礼、行义……”孔子条理分明地提议着。

“说得好啊！只是……我……”

鲁定公很佩服孔子的学问与治国政策，但是，想到自己大权旁落在季孙意如的手中，自己也感到有心无力。

“季相国晋见！”

这时候忽传季孙意如到，原来早有人报知有关孔子求见鲁定公的事，季孙意如担心孔子要对鲁定公游说些什么，急忙进宫来探。

孔子没料到会和季孙意如碰头，连忙起身告辞。

“也好，孔夫子先回去，待我和相国商量好，再请孔夫子来相助。”鲁定公也不挽留，对孔子这样说。

孔子回去等待了几个月，鲁定公那里一直没有任何动静，孔子知道一定又是被季孙意如阻碍，没有成事，心中感叹万千，只好继续把心思放在教学上。

政绩卓著的中壮年

阳虎叛乱

公元前505年，季孙意如得病死在房（曲阜东南的防山）这地方，儿子季孙斯（季桓子）继承相国职位。家臣阳虎一看机不可失，就和弟弟阳越，联合季寤、公山不狃、叔孙辄三人密谋夺权。

季寤是季孙斯的弟弟；公山不狃（也称“公山弗扰”）是季孙斯的家臣，担任费邑的邑宰；叔孙辄是叔孙氏庶出的儿子兼家臣。这时，叔孙不敢死了，由叔孙州仇继任卿大夫的职位。

“鲁国国君是周天子的诸侯，多年来被季孙、叔孙、孟孙三家大夫专权，我们这些家臣，当然也可以取代三家大夫的政权啊！哈哈哈……等三家大夫除去之后，就由季寤取代季孙斯，叔孙辄就取代叔孙州仇，我呢，就去取代孟孙何忌。”阳虎得意洋洋地盘算着。

季寤、公山不狃与叔孙辄原本没有叛变的胆子，经过阳虎一再

怂恿，也都动起心来，同意联合叛变。

阳虎和季寤、公山不狃先合力软禁季孙斯，掌握了季孙家的大权；公元前503年2月，齐国把由鲁国侵占的郓、阳之地[1]归还，阳虎把它据为己有。然后又想到要网罗素有良好名声的孔子，作为他夺权的有力后盾。

可是，阳虎几次叫人来请，孔子都借故推辞不见。

阳虎也不是省油的灯，当然看得出孔子的心思。有一天，又特地命人送来一只烤得非常香的乳猪。

"这是在诱惑我呀！而且按照礼数，我必须得回拜才行……这该怎么办呢？"孔子为难地说。

"老师！不如派一个面生的弟子，到阳虎家附近守候，一看到阳虎出门，就通知您去回拜。您看这样行得通吗？"颜繇出着计策。

"太好了！就这么办。"孔子拍手说。

偏偏事有凑巧，孔子乘阳虎出门后回拜，离开阳府准备回家，却在路上和阳虎碰个正着。孔子躲避不及，只好硬着头皮和阳虎相见。

"来！你过来！我跟你说！怀着才能却不肯出来拯救自己的国家，这样的人算是有仁德的人吗？"只听阳虎对孔子招招手这样说。

"不算！"孔子简单地回答。

"那明明喜欢做官，却多次错失做官的大好时机，这种人算得

1 郓邑在现在山东省郓县城东，阳关是指山东宁阳县东北的阳关故城。

上是有智慧的人吗？”阳虎又说。

“也不算！”孔子又回答。

“时间消逝得很快啊！岁月是不会饶人的……”阳虎更明白地暗示说。

“是的，我明白！我就快要出来做官了。”孔子明显带着敷衍的态度回答。

基于道义，孔子最后还是没有接受阳虎的邀请出来做官。阳虎拿他没办法，只好另谋对策。

孔子眼看阳虎的动作频频，看出他迟早会惹出更大的祸乱，连忙前往孟孙何忌家，对他说：“阳虎是个野心勃勃的人，不久一定会惹出大乱，你要好好防范才好。”

孟孙何忌和他父亲孟僖子一样，对孔子非常敬佩，他听到孔子的警告，不敢怠慢，连忙暗中部署。

公元前502年，阳虎与季寤等人议定好杀死季孙斯的计谋，日期就敲定在僖公庙祭祀的那天（十月辛卯日）。为了行事方便，特别嘱咐邑宰，都城的兵车要在当日戒备。

成邑的邑宰公敛处父接到密报，赶紧向孟孙何忌报告：“阳虎叫都城的兵车在僖公庙祭祀的那天戒备，我觉得有点蹊跷！”

“我也有同感！”孟孙何忌说。

“这件祸事一定会牵连到我们，我们应该早做准备。”公敛处父说。

孟孙何忌马上命人准备了许多防御材料，请来三百名壮丁，伪装成修房工人，实际上是为了备战。公敛处父则做盔甲备用，一旦有急需，立刻应急。

僖公庙祭祀那天，阳虎当车队的前导，林楚替季孙斯驾车，阳越与一群官兵拿着剑和盾牌压后。季孙斯警觉到气氛不对，悄悄地对车夫林楚说："你的先人都是对季孙家有功的人，相信你也会保持这样的光荣吧！"

"大夫！阳虎掌握了大权，我不得不听他的呀！但是……今天……为了大夫……我、我豁出去了。"林楚说着，快马加鞭地驾车向别的大道急驶离去。

阳越发现后立刻搭弓一射，没射中，奋力追来。一旁化装成修房工人的官兵，一起乱箭把阳越射死。

阳虎见情况不妙，策马把前导车队驶进前面的王宫，正好遇见鲁定公和叔孙州仇要去参加祭典的车队，就把两人胁持起来，还把宫里的宝玉和大弓两件宝物夺走。但是最后敌不过公敛处父领兵的追击，放下鲁定公和叔孙州仇，逃进他的巢穴郓、阳之地，正式造起反来。

两家大夫看到自己的家臣合在一起叛乱，心里都很不是滋味，商请鲁定公派兵剿乱。来年（公元前501年）6月，鲁定公命申句须、乐颀两位将军挂帅，带兵平乱。阳虎不敌，归还宫里的宝玉和大弓两件宝物，但却扬言要放火烧掉阳关都邑，而且先一把火烧了邑门示警。鲁

军怕他把整个都邑烧了，只好让出一条路让他逃走。

公山不狃见到这种情势，逃到齐国躲起来伺机而动。留在鲁国的季寤、叔孙辄来不及叛乱，所以没有被揭穿底细。但看到这样的形势，也知道该按兵不动，以免惹来杀身之祸。

没想到阳虎逃到齐国后奉献土地，想达到换取齐国派兵帮助他攻伐鲁国的目的。齐景公刚开始有点心动。但齐国大臣鲍国连忙劝阻说："那阳虎原是季孙家的家臣，为了财利背叛主人季孙斯，如今又为了自己的利益，居然要把自己国家的土地出卖给别国。这种爱财不仁的人要他有什么用？主公您的财富大过季孙家，难道不怕被他谋害？更何况他只是个家臣，根本没有权力献地，为了这种人得罪鲁国也不值得……"

"嗯——"齐景公觉得鲍国说得有理。

"主公！依臣之见，不如把阳虎捉了，押解送回给鲁国国君，向鲁国示好，可以免去两国的兵戎之灾。"大夫鲍国献策说。

"好！就依爱卿所奏！"齐景公说。

之后，齐景公把阳虎捉起来，准备把他交给鲁国。没想到阳虎用计贿赂狱卒逃脱，连夜逃到宋国，宋侯让他住在匡地。

阳虎在匡地残暴的本性不移，对匡地的人刻薄得很，又是敛财又是诈取，把匡人逼得全都起来反抗他，将他的住宅围得水泄不通。阳虎事先得到消息，用计逃到晋国，晋国的大夫赵鞅（赵简子）收留了他。

孔子听到这个消息，摇头叹息："赵家收留了阳虎这个祸根，此后恐怕世世代代要出乱子了……"

连年升官

在这混乱世局的期间，颜繇带着十七岁的儿子颜回[1]，前来拜孔子为师。之后，冉雍、冉求[2]等人也陆续前来拜师，孔子学生的阵容更加浩大。

经过这次乱局，南容恳请孟孙何忌找机会向鲁定公推荐孔子。孟孙何忌对孔子能洞察先机十分赞佩，点头答应。

几天后，孟孙何忌上朝时，乘机向鲁定公提起这件事。

"主公，都是我识人不清，才让阳虎和公山不狃这两位家臣有机可乘……"季孙斯自责地说。

"你的家臣毕竟是外人，我的却是自己的族人，这真叫我寒心，如果连自己人都这样，实在不知道还有什么人可以任用……"叔孙州仇叹息着说。

"两位不必自责，经过这次，我们也学到教训，以后用人时要更加小心。不过这次能够平乱，孟孙大夫的功劳不小。"鲁定公转移话

1 颜回，字子渊，身体瘦小，有仁德，家贫而好学，小孔子三十岁，是孔子最欣赏、认为最像自己的弟子。

2 冉求，字子有，又称冉有、冉子，曾担任季孙大夫家的家臣。

题嘉许孟孙何忌。

“主公，说到大功劳，我的老师孔夫子才是第一功臣。”孟孙何忌抓紧机会，继续向鲁定公说，“这次若不是我老师洞察先机，叫我要事先预防阳虎作乱，我也一定来不及抵挡。所以，他才是第一功臣。主公如果真要任用可信的人，孔夫子无论才能与人品，都是顶尖的一时之选。”

“季相国与叔孙大夫认为如何？”鲁定公向两人询问。

“我听说阳虎曾经想尽办法要拉拢孔夫子，孔夫子不但没有加入，反而示意我们要好好戒备，他的忠心是没问题的。”季孙斯表示赞成。

“不错！孔夫子在民间的名气很大，百姓都很尊敬他，我也同意用他。”叔孙州仇也附和着。

“太好了！那么我就先聘请孔子担任中都的邑宰，看看治绩如何再作打算。”鲁定公几年前就有此意，如今终于兑现，心中也十分高兴。

退朝后，孟孙何忌很高兴地把这个消息告诉孔子。

孔子听了，多年矛盾、交战的心，终于被为国为民的热忱战胜，决心复出为官，拯救鲁国百姓。这年孔子五十岁（公元前501年），距离上次做官的时间，已经整整相隔三十年了。

这次上任，仲由、曾点、闵损、冉耕、漆雕开、颜渊等弟子都随行，仲由为孔子驾车，孔子在车上一路规划着要如何整顿中都。

中都距离曲阜约有九十里路，是一块肥沃的平原地，按理应该是个富庶的城邑。可惜地方长久没有人好好地治理，以致秩序大乱、人心动荡。

孔子怀着炽热的心和理想来上任，想把中都繁荣起来。他心想：我一定要用先王之道，好好地教化中都人民，让人民个个孝顺父母、尊敬长上、忠诚待人、与人讲信、长幼有序、男耕女织、买卖公道、商贾无欺……

进入中都后，师生一行人用过午餐，正准备继续上路时，一位穿着讲究的年轻人，驾车在他们旁边停下来，年轻人下车，向孔子行礼问道："请问老人家可是鲁国的孔夫子？"

"在下正是孔仲尼，你是……"孔子连忙回礼。

"我是卫国人，复姓端木，名赐，字子贡，久闻夫子大名，本想到鲁国拜望，没想到在这里不期而遇……"

端木赐[1]说着，立刻快步回车上取来拜师礼，向孔子倒身拜下，说："希望老师收我为徒，这点小礼，不成敬意。"

"快快请起。你有诚意拜师，仲尼自然愿意。只是我现在受鲁君聘为中都邑宰，正要赴任，不知你可愿意随我同行？"孔子扶起端木赐后问道。

"弟子愿意！"端木赐回答。

孔子很高兴，向他介绍众师兄们，一行人浩浩荡荡地进入

1 端木赐，字子贡，家境富裕，后来经商，赚了很多钱。

中都。孔子初来乍到，对于中都的风土民情不太了解，就派弟子四处探察，自己也微服出巡。几天后，弟子就汇集了各方的情报。

“老师，市集上有一个叫沈犹的羊贩子，三年前从外地来到中都，就一直用加盐的草料喂食羊只。羊吃了草料后会口渴，不断地喝水，身体肥肿起来，沈犹就趁此时把羊卖掉。买到羊的人如果回去马上宰杀，会发现羊身体不断流出水来，一称之后，发现少了好几斤重，这才知道吃了闷亏。如果不是立刻宰杀的，几天之后羊一定会死。这沈犹下欺人民，上通官府，人民控告他，官府只把一个收贿的差役下狱，草草结案，他还是继续做这样的勾当，实在很可恶！”子路首先报告。

“老师，我打听到一位姓慎的书香子弟，娶了漆氏为妻，漆氏淫乱失节，败坏社会风俗，众人都在暗中耻笑姓慎的子弟，可是他似乎还被蒙在鼓里，什么也不知道……”颜渊报告说。

“老师，有一个叫慎溃的富豪，娶妻时居然像太子一样，在厅堂上奏乐，在中庭上歌舞，逾越了礼节……”冉耕报告说。

“老师，中都连年旱灾，小偷横行，数量多达数百人……”端木赐报告说。

孔子听了弟子的报告，胸有成竹地点点头。那和他所察访的差不多，便和弟子商量对策，要把这些弊端一一剔除。

第二天，孔子带着弟子们来到市集，找到叫沈犹的羊贩子，弟子们混在人群中，子贡佯装要买羊，让沈犹杀了羊再称重，沈犹当场泄了底。后来才知道来买羊的是新任的邑宰孔仲尼，只好乖乖地叩头认罪，赔银钱了事。

接着，孔子接受颜渊的建议，编了一首儿歌，让孩童在街头巷尾唱着，使姓慎的丈夫知道妻子的败俗行为，然后修书一封，把漆氏休离中都。

孔子又接受子贡的建议，以征军费为名，向叫慎溃的富豪狠抽了一笔税捐，当作军饷。国家向富人抽取军饷，这在当时是合法的。富豪没有太多的钱，自然没办法再奢侈浪费。孔子借抽税，一方面充实国库；另一方面又可纠正奢侈之风，可说是一举两得。

至于小偷，孔子想大刀阔斧地改革，希望小偷在中都能够从此绝迹。孔子用心良苦，想了几天，终于想出一套办法，命弟子分头去办。

孔子先派人暗中查出各地的小偷，总计有一百多人，记下他们所偷的东西、次数及住处等，然后命人张贴告示：

> 凡在三天内，自愿向中都邑衙门自首，坦白说出偷窃次数与经过的小偷，一概免除罪行；
>
> 否则，依法逮捕，绝不宽容。

告示一出，中都人民有的赞好，有的批评，还有的说风凉话，等着看好戏。

三天内来自首的只有两人，孔子依告示所写的，让两人写了悔过书，放他们走。

到了第四天，孔子就让邑衙的捕头，将一百多名小偷一一逮捕，其中一部分坦承了罪行的，孔子查与所记录的一致，就释放他们。其他不认罪的小偷，就让他们游街，请民众指认，有当众被指认的，依罪论罚。

小偷之中也有达官贵族的亲友，孔子毫不徇私，一概依法论处，全城百姓都感动不已。

几天后，多数的小偷都已经认罪，孔子按区分配，请专人负责管理；剩下那些始终不肯认罪的，孔子就将他们发配边疆。不到三个月，中都的夜晚安宁多了，人民不再担心会有小偷光顾了。

解决了小偷，再要应付的是旱灾。孔子请来几位有经验的老农，诚心地向他们请教救灾之道。

“治旱只有一个办法，就是掘井。”一位姓邱的老农说。

“既然这么简单，为什么你们不做呢？”孔子疑惑地问。

“大人，您有所不知，连年的战争，把众人家里的壮丁都征走了；没法耕种，赋税又加重，能离开的邑民早就离开了，剩下我们这些没办法离开的，也只能勉强过日子，谁还会有余力去管这些事啊……”余老农说。

孔子便奏请鲁定公开仓赈济灾民，用从富豪那里抽来的几千两税银添购新农具与掘井、汲水等用具，请几位老农带头掘井救旱。

孔子又勘查到，中都离汶水不远，汶水水源滚滚，即使在旱灾也十分丰沛。便让人开凿沟渠，让农民引水灌溉。

就这样，又过了半年，到了秋收时，鲁国因连年旱灾，各地都歉收，只有中都丰收。中都人民经过大半年的教化，街道整齐、男女有别、老幼有序、路不拾遗、商贾无欺，人民把孔子尊崇得像活菩萨一样，只要他贴告示要人民做的事，人民没有不遵从的。

孔子还让中都的富豪们出钱成立手工艺厂，让男的制陶、冶铜，女的纺纱、织布，所生产的手工艺品，销往齐、卫、晋、吴、郑、楚等国。这些国家的商人也把中都当作经商必经的重地，来往不绝，使中都逐渐富庶起来。

不到一年，鲁定公派人颁下旨意：

> 孔爱卿治理中都，政绩卓然，寡人十分宽慰。
>
> 现要借爱卿之才，另有重托，请速回宫。

孔子被召回宫的消息传出，百姓、商贾、富豪们都非常惋惜，因为就要失去一位非常好的父母官了。

孔子离开那天，从邑衙绵延到几里外，夹道聚集了来送行的中都民众与来往的商人，大家扶老携幼、含泪相送，场面感人。

孔子心中感动万分，觉得推行周礼的理想，似乎已经启动了。

“孔爱卿！用你那套治理中都的办法，可以治理衰弱的鲁国

吗？”鲁定公这样问孔子。

“这套办法主要是推行周礼，以教化百姓、顺应民心为优先，莫说用来治理鲁国，就是拿来治理天下也是没有问题的。”孔子很有把握地回答。

“太好了！寡人想聘你担任鲁国的大司空，负责管理都城宫殿、庙宇设计与建筑、道路桥梁的规划与设施等工程，不知你意下如何？”鲁定公说。

“只要有利于百姓，主公有需要仲尼帮忙的，仲尼都愿意做。”孔子回答。

就这样，孔子升职为大司空[1]，每天忙于设计、规划与建筑，一方面也孜孜不倦地致力于教育。在这期间，宓不齐、高柴[2]等弟子，陆续来拜孔子为师。

孔子担任大司空的政绩，同样受到肯定，所以没多久又被升为大司寇。

孔子担任大司寇不久，遇到一个案件，是一对父子大打出手、互相控告。孔子听了两人的说词，就叫人把两人关进同一间牢房里，吩

1 大司空、大司寇是周朝的官名，为周公所制定，设有天、地、春、夏、秋、冬六官，官职不同，掌管的职务也不同。天官设大冢宰（或称“大宰”、“太宰”）的职位，掌理财政，为百官之首；地官设大司徒的职位，掌理内政与教育；春官设大宗伯的职位，掌理礼制；夏官设大司马的职位，掌管军事；秋官设大司寇的职位，掌理刑罚；冬官设大司空的职位，掌理建筑工程。

2 高柴，字子高，齐国人，曾担任费邑邑宰。

咐狱卒有意无意地让他们观看牢房檐上“慈乌反哺”的情景。

儿子看到长大的小乌鸦不停地来回喂哺老乌鸦，想到自己对父亲的不孝，忽然悔恨痛哭起来，当场向父亲下跪认错，并大声求人放了父亲。父亲也抱着儿子，痛悔自己没有尽教导的责任。孔子最后把两人都放了。

季孙斯知道后，很不以为然地对孔子说：“像这种不孝子应该重罚才对，大司寇为什么反而放了他呢？这样如何警示其他人民？”

“相国，刑罚是为了教化人民而设的，使用时要非常小心，只有在人民不听教化、非得用刑罚时才用，绝不能随自己的意思乱施刑罚，否则就失去教化人民的真正目的。相国所指的这对父子，已经得到教化，而且双方都已痛改前非，自然没有再施刑罚的必要。”孔子解释说。

“大司寇说得有理。佩服！佩服！在下受教了。大司寇顾虑周详，处置合情合理，真不愧是主公得意的辅佐人才！”季孙斯也竖起拇指来对孔子大加赞赏。

自从孔子升任大司寇，其间平反了许多冤案，百姓心悦诚服，鲁国因而大治。孔子的名声更不胫而走，震动了国际听闻。

夹谷会盟，争回失土

孔子担任大司寇后，政绩斐然，齐景公听到消息，一方面十分懊

悔当日没有听从大夫高昭子的劝说，重用孔子；另一方面也怕鲁国因此强大起来，危及齐国，于是召集群臣，商议要如何因应。

“主公，鲁国用了孔仲尼，短期内就使鲁国大治，怕不久就会向外扩展，我们齐国就在鲁国邻边，首当其冲，不能不加防范。”大夫黎鉏奏道。

“寡人也正在担心此事。晏爱卿，你有何高见？”齐景公转头询问宰相晏婴。

“依臣的看法，鲁国受三家大夫的揽权已久，光凭孔仲尼一个人，很难和他们周旋。再说鲁国也没有什么出色的将军能好好地整顿军力，孔仲尼不可能那么快就让鲁国富强起来。但是，如果主公不放心的话，我们可以约鲁君在齐、鲁交界的夹谷[1]会盟，先修两国之好，日后就不怕鲁国对我们不利了。”晏婴慢条斯理地说。

“就依晏爱卿的办法做吧！”齐景公点头同意。

鲁定公突然收到齐景公要求会盟的邀请函，便把群臣召来商议。

“齐国向来狡诈，又曾收留我国的叛臣阳虎，如今突然要和我国会盟，居心叵测，我认为主公还是不去的好。”孟孙何忌劝阻说。

“这样不妥！齐国一向比鲁国强盛，如果拒绝他们的要求，恐怕会惹齐国不满。我认为主公还是去参加的好。”相国季孙斯持相反意见。

1 夹谷位于现在山东博山县的东境。

“我赞成相国的意见。齐国近年来几次用兵，夺去我国一些土地，如今忽然要和我们修好，这是我们该高兴的事，没有理由拒绝。”大司寇孔子出列奏道。

“既然这样，寡人就答应与齐国会盟。那……谁能陪寡人前去呢？”鲁定公问。

“诸侯国会盟，按礼应由各国的相国担任相礼，负责相关礼仪。我国理当由季相国……”

“这可使不得……”

孔子解释到一半，忽然被打断，回头一看，说话的正是相国季孙斯。季孙斯一听到要让他担任相礼，马上手足无措起来。他对礼仪这一套，完全没有概念，对于诸侯会盟这种阵仗，一点经验也没有。私心又想到：万一没有处理好，会盟回来，铁定饱受批评，是个吃力不讨好的差事。自己已经不受人民支持了，如果再有个闪失，怕会连命都不保。

“主公，微臣在国际间的名声不大，绝不能胜任这个任务。我认为……该让大司寇去。以大司寇的声望与才能，一定可以胜任。”

“使不得！使不得！会盟时，齐国一定是派相国晏婴担任相礼，我国也理应派相国担任相礼，才不会丧失国格。”孔子觉得这样不合礼制，急忙推辞。

“那有什么关系！就请主公赋予大司寇‘代行相国之事’的权力，不就得了。”

季孙斯情急之下，居然同意让孔子“代行相国之事”，这对专权多年的季孙家来说，简直是不可能发生的事，所以在场的群臣都震惊不已。

鲁定公心里也有数，让孔子随行的确会比季孙斯有用得多，于是对孔子说：“孔爱卿，既然相国愿意托付重任给你，为国、为民，你就不必再推辞了。寡人现在就赋予你‘代行相国之事’的权力，准备赴夹谷会盟的相关事宜。”

“既然主公有令，微臣只有遵命！”孔子见无法推辞，只好答应。

“孔爱卿，依你看，我们事前要做什么准备？”鲁定公问孔子。

由于事出突然，孔子事先没有想到会插手这件事。经鲁定公一问，孔子定心想了一下，然后回答说：“以前宋、楚两国结盟的时候，宋襄公因为没带兵马，受到楚国极大的侮辱。所以，这次臣请主公命令申句须、乐颀两位将军带兵随行。”

“申句须、乐颀两位将军，寡人命你二人为左、右司马，即日起操兵练马，会盟时带军一起随行护驾。”鲁定公立刻对申、乐两位将军下达命令。

孔子出宫回家后，遍查典籍，把各国结盟的资料详细研究一番，再把鲁国的国际情势了解透彻之后，记下要注意的事项，心中规划好蓝图，一边耐心地等待会盟的日子。

夹谷会盟的日子（公元前500年3月）很快就到了，鲁国依约带着

军队，浩浩荡荡地向夹谷出发。

鲁定公的心中百感杂陈，深怕会无好会，虽然带了军队随行，他还是对未来的情况不放心。军队来到齐、鲁交界的泰山下时，见到高耸的泰山，忍不住对天祈求说：“如果上天保佑我平安归来，明年我一定来泰山祭祀，答谢上苍。”

孔子听了，怕鲁定公的悲情扰乱军心，连忙催请鲁定公继续前进，最后终于到达夹谷。

孔子远远看到会盟的高坛已经搭好，便让申、乐两位将军，依礼把军队驻扎在坛外不远处，随时听候调遣。齐国的人马不久也到达，军队同样驻扎在附近。

第二天会盟开始时，齐、鲁两国国君先在坛下互相揖让为礼，然后同时走向坛上。两国的相礼孔子与晏婴，也各自随着国君上坛，在坛上交拜后，坐定。

这时齐国大臣黎弥[1]出来向齐景公奏说：“微臣准备表演节目，要让鲁国君臣欣赏，请主公允许！”

“准奏！”齐景公说。

一时之间，呼声大作，两队莱夷土人扮相的人物出场，分别拿着矛、盾与刀，野蛮兮兮的从两边冲进坛下广场，又登到坛上，一会儿舞刀弄盾，一会儿又击刺长矛，鲁定公当场惊得脸色苍白。

孔子立刻起身向齐景公抗议：“士兵们，快拿兵器赶走这群莱

1 黎弥，齐国大夫，以善于谋略闻名，齐景公晚年十分宠信他。

夷的囚犯。他们怎么可以在两国会盟的时候拿着兵器向着国君呢?这应该不是齐国国君的意思吧！这么做，非但对神明不敬，就是在礼仪上也大为失礼。我想齐国国君一定不会允许这样的行为吧！”

孔子说完，两道锐利的目光看向齐景公。

“快快撤去！”齐景公没料到黎弥竟会搬出这种低劣的表演，连自己都吓了一大跳。这时又听孔子这样说，顿时面红耳赤，连忙摆手叫人撤去。

黎弥本来欺负孔子不过是个文弱书生，打好算盘要让这些莱夷土人的击刺把他吓住，然后架住鲁定公威吓一番。没想到计策还没施行，就让齐景公下令给撤了。

第一个计策失败，黎弥决定再用第二计。他向齐景公奏道：“刚才让鲁国君臣受惊了。请主公准许我请几位歌手出来，唱几首歌为鲁国君臣压压惊。”

“好！好！”齐景公见场面尴尬，也想乘机让歌舞化解一下僵持的气氛。

不一会儿，两列男女歌手登坛到了两国国君前面，连唱带演的，把“文姜爱齐侯”[1]这段故事和着低俗的歌词唱演起来。

---

1 文姜是齐国人，在齐国时与齐侯襄公有私情，嫁给鲁桓公后，借着回齐国的机会与齐襄公私会，事迹败露后，齐襄公把鲁桓公杀死。齐、鲁两国的后人都忌提这件事，视为两国的国耻。没想到黎弥搞不清楚状况，提起这件事想羞辱鲁定公，结果连自己的国君也羞辱到。

鲁定公听后尴尬得不得了。

孔子气得脸色发白，再次起身向齐景公抗议。

“贵国哪位臣子用这样低贱的歌曲助兴？他是想侮辱我国国君吗？难道他不知道，这也是贵国的耻辱吗？他这样做，岂不是把两国的国君都羞辱了？是谁这么大胆？请齐国国君命司马将他定罪！”

齐景公和晏婴两人面如土色，一句话也说不出来。

孔子见状更加生气地说：“齐、鲁两国这次会盟是为了修兄弟之好，所以，鲁国的司马就是齐国的司马。既然齐国的司马不在，那就由我鲁国的司马代行其事。”

孔子立刻转身大喊：“来呀！申句须将军，快命人把现场这些侮辱两国国君的奴才推去斩了！”

申句须将军立刻上前，将带头的歌手拖去斩首，其余的歌手全都吓得腿软，畏缩地退在一旁。

鲁定公君臣全都生气地拂袖退席。齐景公不得已也跟着退席，自知失了大礼，边走边骂黎弥说：“人家的臣子会用周礼教他国君，怎么我的臣子却用蛮夷番邦的粗俗来教我呢！真是让我丢尽了脸！”

黎弥闷声不敢发作。

“主公，这是谁让安排的？我们齐国是中原的泱泱大国，素以中原文明自诩，先祖齐桓公更以中原霸主自居，主张攘除夷狄。现在，我们却让夷狄的表演代表我国，实在对先祖有辱呀！”晏婴也是一肚子火，不高兴地询问齐景公。

齐景公自知不该听信黎弥，以致铸下大错，就要被国际视为笑柄，连忙说："晏爱卿，寡人不该听信黎弥的计策，惹下这丢脸的祸事来。现在……你认为该如何收拾残局是好？"

"主公，现在我们只能诚心地向鲁国谢罪了。明天签盟约时，我们还给鲁国一些实质的土地，再向他们说几句赔罪的话……"晏婴对齐景公说。

"只好这么做了！"齐景公泄气地说。

第二天，齐、鲁再度登坛，继续昨天未完的会盟。到了签盟约时，齐国黎弥忽然要加一条批注：

> 齐、鲁结为兄弟国，齐国出兵，鲁国需派兵车三百辆随行。

孔子看了批注，心想：这样岂不把鲁国当成附庸国看待了。孔子很不以为然，就把签约官叫过来，让他把批注改为：

> 齐、鲁结为兄弟国，一国出兵，另一国需派兵车三百辆相助。

然后又要求加一条批注：

齐、鲁既是兄弟国，齐国应归还讙、郓与龟阴[1]等从鲁国夺去的土地。

齐景公和晏婴原本就有意向鲁国谢罪，如今孔子提出要求，正好称了两人的心意，便爽快地答应。

“贵国说的这些地方，我国一定归还！一方面表达结为兄弟之邦的诚意，另一方面为昨天的失礼致歉……希望贵国不计前嫌。”黎弥解释说。

鲁定公没想到孔子不费一兵一卒，就从齐国手中夺回这么多失地，龙心大悦，对孔子的胆识、机智简直佩服得五体投地。

夹谷会盟后，不止鲁定公，全鲁国上下都对相礼的孔子称赞有加。不久，齐国果然信守承诺，把讙、郓与龟阴等地归还鲁国。

相较于孔子的风光，齐国的相礼晏婴却是大大的不同，他回去后不久就黯然病逝了。

几个月后，齐、鲁边界忽然飞来一只大鸟，约三尺长，黑身、白脖、长嘴、单脚，在田野到处飞舞着。

季孙斯得到消息，派人请教大司寇孔子。

“这种鸟叫作‘商羊’，住在北海边，商羊起舞的地方，必有大雨。季相国最好先做好一些防灾措施。”孔子说。

季孙斯对孔子的话有七八成相信，连忙叫人做好防灾措施。

1 讙、郓都在现在山东省。

措施才完成不到三天，大雨就倾盆而下，当地瞬间水涨成河。鲁国境内因为事先做了准备，逃过一劫；齐国却水漫大地，损失不小。

齐景公知道后，又是一阵懊悔连连。

拆低三都高筑的城墙

齐国的土地是还给了鲁国，但事实上，那些地方是在鲁僖公时，就已经赐给季孙家的先祖季友，如今取回，自然是由季孙家接收。季孙家的封地加大，急需要好的人才帮忙，季孙斯想到孔子的弟子众多，人才济济，就对孔子说："大司寇的弟子中，可有合适的人才，可以做我的家臣，帮我治理内外事务？"

孔子想了一下，仲由与冉求都是可以从政的好人才，但是仲由做事太过鲁莽，还需考验一下。

"有一位名叫冉求的弟子，做事仔细周密，可以先去相国府帮忙，另一位待我考验之后再说。"

"大司寇随时可以请他们来。"季孙斯说完，很高兴地离去。

冉求本来就有从政的打算，孔子一向他提出，立刻豪爽地答应，隔天就到相国府报到去了。

至于仲由，经孔子在射箭场考验，孔子见他指挥若定、有条有理，也推荐他到相国府去任职。

季孙斯因孔子之力夺回土地，又从孔子那里挖到冉求和仲由两位人才，非常感激孔子。据说特别在龟阴筑了一座“谢城”，表扬孔子的功绩。

鲁君的权力让三家大夫瓜分几十年了，三家大夫的权力，事实上也让各家的家臣觊觎着，像阳虎那样有野心的家臣不少，他们都在暗中部署，把三家都邑[1]的城墙筑得又高又坚固，充实实力，随时准备叛乱。三家大夫还不以为意，赏给这些家臣许多宝物，真令人替他们捏一把冷汗。

经过阳虎那件乱事之后，季孙斯似乎没有得到教训，漫不经心地继续让叔孙辄担任费邑邑宰。

仲由担任季孙家臣的第二年（公元前498年），看到三家都邑都高墙筑起，完全违背周礼，便和孔子同心，有意拆低三家都邑高筑的城墙。消息传出，公山不狃很快就由齐国回来，轻易地占领费邑，起来抵抗。

鲁定公急得召集群臣商议。

“主公，我想这件事情一定有内幕，以前我们就怀疑过公山不狃、叔孙辄与阳虎有勾结，只是没有抓到证据。这次公山不狃这么顺利就直入费邑，很有可能是叔孙辄当他的内应。”孔子分析给鲁定公听。

“都怪我！不该让叔孙辄的甜言蜜语打动，以为他是人才……

1 指季孙家的费邑、孟孙家的成邑、叔孙家的郈邑（现在山东东平县的东边）。

没想到他别有用心……”季孙斯对于自己识人不明，十分后悔。

“现在该怎么办呢？”鲁定公忧心地问群臣。

“主公，按礼制来说，大夫的都邑不可修城池，家不可藏甲兵。如今三家都邑不但高筑城墙，而且有的暗藏甲兵、公然谋反，主公绝不能坐视不管。”孔子出列奏说。

“大司寇认为我该怎么管呢？”鲁定公急切地问。

“拆低三家都邑的城墙。”孔子坚定地回答。

“但不知……三位大夫意下如何？”鲁定公对于三家大夫仍有所顾忌，所以转头询问他们。

“我赞成大司寇的做法！”季孙斯首先这样说。

季孙斯正为这次的谋反事件感到心烦，事件中的两位叛臣都是他的家臣，现在听到孔子要用国君的力量平乱，正好解除他心中的忧患。

叔孙州仇早有家臣叛乱的经验，所以也表示同意。

“目前只有成邑邑宰公敛处父还没有叛乱的举动，为了不让他与乱臣连成一气，请孟孙大夫回去劝他最好是自己主动拆低城墙，千万不要加入战局，以免大家干戈相见。”孔子对孟孙何忌说。

“我明白了，请老师放心。”孟孙何忌看两家大夫都表示同意了，自然不便拒绝。

鲁定公没想到这件事情这么轻易解决了定，心里非常高兴。

叔孙州仇信守承诺，很快就拆低郈邑的城墙。因为三年前他继承卿大夫职位时，郈邑邑宰侯犯曾经叛乱过，叔孙州仇两次带兵攻伐，最后侯犯逃往齐国。少了侯犯的阻力，拆低城墙就不再那么费事了。

几天后，申、乐二将军假装率军向郈邑出发。公山不狃和叔孙辄不知死活，各自做着当国君与相国的美梦。两人一探知申、乐二将军的兵马都往郈邑进军的消息，立刻发兵进攻曲阜，想趁鲁君措手不及，一举攻下国都曲阜。

不料兵临曲阜城下的时候，四周涌进成千上万的鲁军，申、乐二将军的大旗飞扬，鲁定公、季孙斯与申、乐二将军威风凛凛地坐阵在军中，士兵将公山不狃和叔孙辄两人团团围住。两人这才知道中计，公山不狃气急败坏地破口大骂："想不到堂堂的大将军也会使诈，真是太丢脸了！"

"公山不狃，你没听说过'兵不厌诈'这句话吗？何况，对付你们这些叛臣，还需要讲什么信义？"申句须将军说到这里，对士兵大喊道："来呀！把两人给我捉起来！"

公山不狃和叔孙辄两人拼命突围，最后一起逃到齐国去了。

申将军率军进入费邑，依照大司寇的意思，马上把城墙拆低。

另一方面，成邑的邑宰公敛处父听说孟孙何忌来了，立刻打开城门，拱手迎接说："孟孙大夫是要劝我拆低城墙的吧？"

"呃，不瞒你说，成邑高筑城墙，主公十分不悦，下命要我拆低。"乐颀将军回答说。

“虽然在礼制上我们应当拆低城墙，可是，礼法也有因地制宜的情况才是。成邑位在齐、鲁边界，关系着国家的安危，我筑高城墙不是为了巩固私人的力量，而是为了防范齐兵的侵犯。一旦拆了，齐兵很快就由成邑这里侵入。成邑是孟孙家的都邑，没有成邑，就没有孟孙家，请大夫三思啊！”公敛处父说。

孟孙何忌犹豫起来，说：“这……可是如果不拆低，没法向主公交代。”

“你可以假装不知道我没拆……”公敛处父献计说。

“嗯，只好这样……”孟孙何忌说。

事情拖到当年十一月，鲁定公才发现成邑的城墙没拆低，生气地质问孟孙何忌。孟孙何忌按照公敛处父的计策，推说：“微臣无能！竟然没有察觉……”

鲁定公无奈，为了顾及国君的威严与公平起见，十二月时，亲自率兵围攻成邑，可是并没有成功。

“主公，公敛处父说得很有道理，边疆的城池应该可以例外。况且公敛处父没有加入作乱，可见没有叛心，我们就同意他不拆成邑的城墙吧！”孔子劝鲁定公说。

鲁定公只好作罢。

黯然辞官，失意离开鲁国

鲁定公夹谷会盟争回部分失土，又拆除了三家都邑的城墙，以为内外安定，心情马上松懈下来，渐渐恢复过去那种逸乐的生活，也逐渐冷落孔子，完全不知道国内的政局正暗潮汹涌，还有很多需要处理的事。

经过拆低三都城墙这件事后，孟孙何忌是真心感谢孔子。季孙斯和叔孙州仇却不然，他们虽然表面上不说一句怨言，暗地里却耿耿于怀，视孔子为眼中钉、揽权位的毒刺，非拔除而后快。渐渐的，季孙斯和叔孙州仇就和孔子疏远了。

孔子是个聪明人，自然也感受到季孙斯和叔孙州仇态度上的变化。但孔子不以为意，心想只要能替百姓多谋福利、多做些事，让鲁国富强起来，他就满足了。至于他个人受不受人喜爱、得不得到大利，都不是他看重的事情。

公元前496年，齐国见不得鲁国富强，但是当时晏婴死了，能向齐景公献计的只剩下黎弥。黎弥想出了一条计策，对齐景公说："主公，我们可以假借为了夹谷会盟来谢罪的名义，挑选八十名美女和一百四千里马送给鲁定公，用美人计如此……这般……的陷害鲁国。"

齐景公同意试试。

鲁定公不察，一见到礼物就想收下。但碍于颜面，就问季孙斯的

意见说:“相国,寡人该不该收下齐国送来的这些礼物呢?”

“主公,当然可以收呀!只要我们礼尚往来就行了。”季孙斯早就看出鲁定公的本意,加上自己也希望鲁定公越放荡越好,才有机会独揽政权。

“主公,收不得呀!这是齐国的诡计啊!”孔子出列劝说。

“大司寇为何说出这样的话呢?”鲁定公不高兴地问道。

“主公您想想,我国对齐国没有大恩,也没有加害他们的意思,齐国为何要平白无故地送来那么多美女和千里马作为礼物,而且没有要求任何回报?他们一定是别有用心啊!请主公三思!”

孔子分析完,又进一步劝说:“主公如果一定要收,可以收下千里马,日后再回赠金银珠宝作为答礼。但美女可千万不能收啊!因为收了美女的意义就大为不同了。世上惟独女人和小人是难以相处的,亲近她们,她们就会无礼;疏远她们,她们就会怨恨。齐国竟然送来美女,可见他们的用心狠毒、居心叵测呀!”

鲁定公一听孔子要叫他送回美女,马上生气地说:“收礼自然是全收,哪有收一半的道理。大司寇,你也太以小人之心度君子之腹了。相国都说可以收了,你为何要故意阻拦呢?我已决定全部收下,你不必再说了。”

鲁定公这时觉得孔子文绉绉的,令人讨厌,摆摆手示意退朝。

孔子感到既委屈又懊恼,他知道鲁定公收下美女的后果堪虞。但是,他是君,自己是臣,力劝不听,又能如何,只得垂头丧气地回去。

果然，鲁定公收了美女以后，接连十天都不上朝。

“老师，主公太过分了，我们离开鲁国算了。”仲由第一个为老师抱不平。

“子路，再等等！再等等吧！”孔子安抚仲由说。

“老师，您还要等什么呢？”仲由不明白地问。

“过几天是郊祭的日子，如果祭祀后主公没有派人送祭肉[1]来，那时候要离开再离开吧！”

可是孔子左等右等，祭祀结束后都三天了，鲁定公还是没有派任何人送来任何祭肉。孔子期待的心破碎了。

“现在是离开鲁国的时候了……”孔子对他的弟子说。

“老师，无论您去哪里，我都跟您去。”仲由很有义气地说。

“我们也去……”冉耕、闵损、冉求、端木赐、颜回、宰我、宓不齐等弟子一起说。弟子们和孔子情同父子，谁也不愿意和孔子分离。孔子的眼眶含泪，感动得说不出话来。

“老师，季相国的为人，我实在看不过去，不趁这时离开要待何时？”仲由似乎憋了很久的气，现在一古脑地说出来。

“是呀！相国整天酒色不离，根本不把国事当事，我也早想离开

1 古时候的习俗，认为吃了祭祀过后的祭肉，可以得福，获得神的保佑，所以国君会把祭肉分送给臣子，表示关爱。如果没收到祭肉，表示不称职或主公不想再任用，自己就要卷铺盖走人。

了。”冉求附和地说。

“你们若无意留下，就跟着我离开吧！”孔子点头同意。

“老师，你打算去哪里？”冉求问道。

“老师，如果你还没有决定去哪儿，我的妻舅[1]颜浊邹在卫君身边做官，不如我们先去那里，您看如何？”仲由提议说。

“嗯，也好！反正这次出国，我也没有特别规划要去哪儿。卫国不远，我们就先去卫国吧！”孔子欣然同意。

1 妻舅是指妻子的兄弟。

周游列国的中老年

路遇神童不吝请教

公元前496年，孔子嘱咐好家人一些事后，来向其他没有同行的弟子们辞行。这一别也许是五年、十年，所以大家都离情依依，噙泪道别。

冉求为孔子驾车，其他弟子有的坐端木赐的车，有的步行，一行三十多人，浩浩荡荡地向西出发。

他们一路缓慢前进，走了约三百里路，到达鲁、卫两国的交界处。孔子回头看了几眼，确认鲁君并没有派车来追，失望之余，拿起一把琴，边弹边唱：

为了那些女子的缘故，我不得不出走；

我君上了美人计的当呀！怎不令人忧伤；

如今落泪也无用，

不如优哉游哉地去过我的日子。

弟子们听到幽怨的歌声，知道老师心中的痛，很多人都流下泪来。

仲由很能体会孔子的心情，故意引孔子说话释怀，便率先开口说：“老师，有道德的君子也会有怨吗？”

孔子放下琴，回答说：“有道德的君子不会怨恨别人不了解自己，只担心自己有没有本事。如果有怨的话，那就是会怨一生平白地度过，没有任何建树，没有可以让人称颂的地方。”

两人正聊着，冉求忽然对孔子说：“老师，前面的路有状况，我们过不去。”

原来前面有一个孩童，用土筑了一座城堡，把通路挡住了。

“小兄弟，你为什么不让路呀！”孔子下车问孩童说。

“你这个人看起来斯斯文文的，讲话却没有道理！”孩童说。

“我怎么不讲道理了？”孔子温和地问。

“是我先在这里筑了一座城堡的，你说是应该叫你们的车绕着城堡走，还是该叫我破坏城堡让你们的车过呢？”孩童理直气壮地反问。

“对！对！是应该车绕城堡走。”

孔子觉得孩童说得有理，便命令冉求绕城而过。

孔子的座车过后，孔子好奇地观察了孩童一会儿，发现附近还有一些小孩在玩丢石游戏，这孩童却不和他们玩。孔子就又问孩童说：“小兄弟，你为什么不和其他小朋友玩丢石游戏呢？”

“丢石游戏有什么好玩的，不是弄破衣裳就是闹肚子饿，与其和他们丢石子，不如回家拿石杵去舂米。”孩童说。

孔子觉得孩童的看法特别，就继续和他攀谈，想探探他的知识。

“你叫什么名字？住在哪儿？”孔子问。

“我叫项橐，住在白云乡。”孩童回答。

“我看你很有见地，想请问你几个问题：什么山没有石头、什么样的水里没有鱼虾、什么马不生马、什么牛不生牛、什么树没有叶子、什么火不冒烟？”孔子一口气提出一连串的问题。

“土山没有石，井水里没有鱼虾，木马不生马，泥牛不生牛，枯树没有叶子，萤火虫的火不冒烟。”孩童立刻接口答出。

“那……你可知道天有多高、地有多厚、风从哪里来、雨从何处起、霜露各在哪里？”孔子又追问了好几个问题。

“天地都是一万九千九百零九里，一样高、一样厚，风从苍梧[1]来，雨从高山起，霜由天上降，露在草尖上。”

孩童又一一回答，然后转动慧黠的眼睛说：“换我来问你。请问

1 苍梧是山名，又称九疑山，位于湖南宁远县东南，传说舜在这里去世，古人认为风是从这里吹出的。

鸭鹅为什么能在水里游、鸿鹄为什么会鸣叫、松柏为什么会长青？”

孔子想了半天，迟疑地说：“鸭鹅会游水是因为它们的脚是方的（有蹼），鸿鹄会鸣叫是因为它们的脖子长，松柏会长青是因为它们的树心是实的。”

“不对！乌龟会游水，它的脚是方的吗？青蛙也会鸣叫，它的脖子长吗？竹子也是长青树，可是树心是空的呀！”孩童提出反证。

“这个……”孔子无法辩驳。

“你可知道人的头发、胡须一共有几根吗？”孩童又问。

孔子又答不出来，只能叹气说：“唉！真是后生可畏[1]啊！”

这时仲由已经等得不耐烦，走过来对孔子说：“老师，您再说下去，我们的行程就要耽搁了！”

“子路啊，耽搁了一点行程有什么关系呢？世上的学问浩瀚如海，多听就能多长知识啊！”孔子点拨仲由说。

“老师，您别和那毛头孩子耍嘴皮子了，我们还是赶路吧！”仲由不耐地催促着。孔子知道仲由的耐性有限，也就不再逗留，向孩童告辞上路了。

在卫国备受礼遇却无官职

孔子与弟子一行来到颜浊邹家，颜浊邹热情招待他们如同上宾。

1 成语，意思是后进的晚辈比前辈更能干，令前辈害怕。

第二天，颜浊邹就把孔子来访的消息向卫君灵公报告，卫灵公立刻召见孔子。

“孔夫子才德兼备，今天来到卫国，真是卫国的福气啊！”

“岂敢，岂敢！是众人过赞了。”孔子谦虚地说。

“您在鲁国担任大司寇，权高位重，不知为了什么放弃官位？又不知您以后有什么打算？”卫灵公问。

“我认为人生在世，不必太为权位担心，也不必担心别人不了解自己，只要有心追求真理，就算早上才听到真理，晚上就死了，都不会有遗憾。”孔子滔滔地说起自己不重权位的看法。

“喔——请问夫子，有什么方法可以让我们卫国强盛的？”卫灵公又问。

“天下的事没有一定要怎样做的道理，只有看怎样做合适。”孔子回答。

卫灵公不了解，又不便追问，怕显露出自己的无知，只好勉强挤出笑容。

这是两人第一次对谈，孔子总觉得和卫灵公说话有点不对盘，可是又不知道问题哪里出在。

由于卫灵公实在不清楚孔子来访的目的，不敢随便给他官职，以免群臣有意见。可是，又觉得应该对孔子有所礼遇才对，于是比照孔子在鲁国担任大司寇时一样的俸禄，礼遇孔子。

“主公给您这么高的俸禄，相当于宰相的待遇，一定是想留您在卫国了。”颜浊邹揣测着卫灵公的心意，说给孔子听。

“可是他并没有给我任何官职，我也不知道该为他做什么事呀？常言道‘无功不受禄’，这样恐怕……”孔子为难地说。

“您初来乍到，也许过一阵子主公就会派官给您了，您耐心地等候吧！”颜浊邹安慰孔子说。

不久，孔子专程去拜访卫国著名的贤大夫蘧瑗[1]。蘧瑗已经是头发斑白、七十多岁的老人了，两人因为早就互相仰慕，见面又聊得投机，很快就成为无所不谈的知己。

有一天，孔子好奇地问蘧瑗说：“卫国的君夫人南子为什么如此受人批评呢？”

“你刚来，也难怪你不知道。说起这件事，实在是卫国的耻辱。那南子本是宋国贵族的绝色美女，可惜生性淫乱，早就与宋国的公子朝有私情，家人怕她闹出丑闻，就想让她尽快嫁给卫灵公。没想到嫁了之后，卫灵公因为自己宠幸男臣弥子瑕[2]，觉得对南子有愧，百般地放任她。后来南子生下蒯聩，被立为世子。照理说南子应该知足了，可是谁也没想到，她竟然还是经常与公子朝私会，卫灵公照样视若无睹。”蘧瑗回答。

孔子不禁摇头，接着又问：“那……世子蒯聩为何要离开卫国？”

---

1 蘧瑗，字伯玉，卫国大夫，见卫灵公无道，就主动辞官，是个有贤德的人。

2 卫国大夫，卫灵公的宠臣。

“世子蒯聩长大了，对母亲南子的不检点行为极不谅解，不久前曾派家臣想杀死南子。家臣不敢对南子下手，南子发现他与蒯聩的神情有异，吓得逃到卫灵公那里，告诉卫灵公蒯聩要杀她。蒯聩害怕，逃到宋国去。到了宋国又怕公子朝找他麻烦，于是又逃到晋国去了……”蘧瑗解释说。

孔子对这样错综复杂的关系，简直难以置信。

又过了一阵子，卫灵公忽然来请孔子，问他说：“世子蒯聩逃到晋国，寡人应该怎么处置才好？”

“君侯与世子蒯聩有父子之情，与南子夫人有夫妻之义，君侯不妨情义两重，保持现况吧！我想短时间内，世子应该伤不到夫人；以后如果情势有变，再另作打算好了！”孔子回答。

卫灵公认为这样的做法不怎么好，可是想了半天，也想不出比这样更好的办法，只好按照孔子的话去做。

公元前495年，鲁定公逝世，鲁哀公即位。

孔子在卫国听到这个消息，心中感慨万千，原本存有几分“鲁定公会召他回去”的幻想，如今破灭了，只好在卫国安心住下。可是孔子觉得卫灵公虽然十分礼遇他，但两人总是话不投机，加上蒯聩的乱事，便兴起离开卫国的想法。离开前，特地来向蘧瑗拜辞。

蘧瑗知道孔子有理想、有抱负，见他际遇不好，实在不忍心，就劝他说：“仲尼啊！我知道你想推行礼治，但以现在的情势，莫说鲁国和我卫国，就是到了其他国家，也都没办法推行啊！你这样做，怕是太曲高和寡[1]了啊!”

“多谢您的指教。我也知道世道衰微,推行周礼困难,但还是希望能贡献自己的一份力量……”孔子说明勉力推行周礼的苦心。

孔子离开没多久,一位富家子弟打扮的年轻人前来向孔子拜师。

“我是公良孺,陈国人,请老师收我为徒。”

“快请起!说起来真巧,我正打算要去陈国。你可愿意为我们带路?”孔子扶起下拜的公良孺问道。

“弟子十分乐意!”公良孺回答。

公良孺看见师兄们很多都没有座车,就对孔子说:“老师,请容我回家张罗几辆马车,让各位师兄乘坐吧!”

“这……”孔子有点犹豫。

“请老师不必顾虑太多,我家的经济还算富裕,车是现成的,不会麻烦的。”公良孺进一步说。

“好吧!”孔子不便拒绝公良孺的诚意,便点头答应了。

几天后,公良孺从家里张罗来五辆座车,和孔子原有的座车会合,一行车队浩浩荡荡地向陈国出发了。

1 成语,意指高格调的乐曲,能够唱和的很少。引申为懂得欣赏附和的人不多。

在宋、陈、卫等国游走

孔子和弟子一行人，随着公良孺，一路向陈国赶路。经过匡地时，突然被一帮人团团围住，大家以为遇上抢匪，一阵慌乱。只听有人向孔子咬牙切齿地叫道：“好个阳虎！当初你是怎样对待我们的？今天你还敢回到匡地来！真是老天有眼，看我们怎么收拾你！”

众人鼓噪着，把孔子等人围得铁桶似的。

仲由一听，觉得不对，连忙大叫：“各位，你们弄错了吧！车上这位是我们的老师——鲁国鼎鼎有名的孔夫子，可不是叛臣阳虎……”

“不是阳虎，那他到匡地来干什么？”

“阳虎的个子高大，我们都看过的……”

匡地的人你一言、我一语的不肯相信。

“我们是从卫国离开要前往陈国，路过这里……再说并不是大个子的人就是阳虎呀……请你们让我们走吧！”仲由又大声地解释说。

“我的确是鲁国的孔仲尼，请各位让路吧！”孔子也说。

“在我们还没有证明你们的话是真的之前，谁也别想离开。”

领头的人不肯轻易放走他们，孔子等人被莫名其妙地困了五天，没有足够的食物和水。后来虚弱的孔子，只好派口才好的端木赐前去交涉。

“老师，气死人了！简直是秀才遇到兵——有理说不清。”端木赐生气地回报，并详细地把劝说失败的经过告诉孔子。

“老师，我看我们突围出去好了，否则早晚要饿死在这里。”仲由提议说。

“我也这么想，没有别的办法了。”公良孺也附和地说。

孔子原不想强硬突围，徒然增加伤亡，但如今逼不得已，只好点头同意。

当晚半夜时，大伙儿趁匡人睡着，奋力突围出来，一口气跑了几十里路，大家才松了一口气，当晚在一家馆舍内休息。

由于路上不安宁，孔子只好回到卫国，住在蘧瑗家。

消息传到卫灵公的夫人——南子的耳朵里，就召见孔子以提高自己的声望。孔子随着来人前去拜见，回来后，迎面见到仲由摆着一张臭脸，生气地对他说：“老师，像南子这种女人，您怎么可以去见她啊？”

“她是卫国的君夫人，我领了卫君的薪俸多年，如果拒绝不见，于礼不合呀！何况我是想……或许可以劝她改正不当的行为，才去见她的。”孔子连忙解释说。

“可是……人家说您是‘老牛想吃嫩草’呢！”仲由说。

“我的用心是良正的啊！如果不是，老天爷就惩罚我好了。”孔子发誓说。

仲由看到孔子这么激动，平常又熟知孔子的品德，自然相信老师所说的，也就不再说什么了。

孔子见了南子后，卫灵公对孔子的态度转好，还邀请孔子同坐在车队中。

“同君侯座车，凭靠的是自己的本事，还是女人的美色呢？”

一旁的卫国人，对孔子议论纷纷。孔子无愧于心，对这些话并不理会。

又有一天，春风拂面，天气爽朗，卫灵公和南子邀孔子一同春游。卫灵公看到路边的水鸟与灰鹤，便高兴地叫卫士：“来人，射下几只水鸟，待会儿烤来吃。”

“太好了！美景配佳肴，再好不过了。”南子高兴地拍手说。

“且慢！”孔子一个箭步上前，对卫灵公说，“古人有句话说‘春不打鸟’，春天是鸟儿们繁殖交配的季节，如果把大鸟打死了，鸟巢里的小鸟就会饿死。请君侯三思而行！”

卫灵公的脸色很难看，不情愿地对卫士摆摆手。一旁的南子也觉得很扫兴，一句话也不说。他们这一天的游兴就这样被孔子破坏了，草草地结束春游回宫。

仲由驾车来接孔子回家，见孔子脸色不好，小心地问道：“老师，今天玩得如何？”

“我没想到卫君爱女色的程度胜过爱道德……唉！事实上到目前为止，我也没见过爱道德胜过女色的人呀！”

孔子既生气又叹息，仲由见苗头不对，只好默默地驾车了。

那天晚上，孔子辗转反侧，睡不安稳。心想：一个父亲不像父亲、儿子不像儿子、夫妻不像夫妻的国君，能期待他推行周礼吗？

孔子的答案是否定的。几天后，孔子就又带着弟子离开卫国，前往宋国。

宋国大夫司马桓雄魋[1]，趁宋王室内乱的时候夺权成功，几乎与国君宋景公平起平坐。他听到孔子一行人来到宋国，担心提倡“君君、臣臣”的孔子会揭他的疮疤，便派人去暗杀孔子。

派来的人到达孔子住处时，孔子与弟子们正在一棵大樟树下上课，那人见到要杀的人只不过是一群儒生，当下就没有伤人性命的意图，只叫手下的人砍去那棵大树，想吓吓孔子他们。

仲由、冉求等人本想上前理论，被孔子拦下。孔子转身质问来人说：“你们为什么这么做？”

“我们是宋国大夫司马桓雄魋的人，他派我们来杀你。可是我们不想这么做，所以叫人砍树，表示我们到过这里，然后回报说没看到你们。但是……你们最好乖乖地待着，别动歪脑筋，不要逼我们动手。”为首的那人说完，叫人把孔子一行人团团围住，众弟子们好几个时辰没吃一粒米，也没半滴水可喝。

到了半夜，仲由向孔子说：“我和师弟们计划冲出去。为了安全，

1 司马桓雄魋是宋国的大夫，用男色迷惑宋景公，成为宠臣，是一个不遵守旧规古礼的人，曾经不惜花费巨资，叫人精雕细造自己的石棺达三年之久。

请老师赶快和我换衣服。”

孔子不肯，仲由急得边脱自己的衣服边说：“老师，快换吧！没有时间了！”说着，急忙帮老师脱衣，换上自己的衣服。

孔子他们突围的时候，司马桓雄魋的人并没有阻拦或追赶，只是虚张声势地在后面叫嚷一番而已。因为他们也不知道接下来该怎么做，索性就放他们走了。

孔子一行人一路奔逃进郑国，师生都失散了。孔子一个人站在郑国都城东门那里东张西望，找寻弟子们的踪影。

端木赐找不到孔子，急得逢人就打听，都没有消息。到了都城西门，碰到一个六十多岁的老人，连忙又拱手请问：“老先生，请问你有看见我的老师孔仲尼吗？”

“东门有个大个子，脖子像尧，下巴像皋陶，肩膀像子产，腰以下比禹短一些，垂头丧气的像只丧家犬。不知道那个人是不是你的老师？”老人回答说。

端木赐赶紧上东门来看，果然看见孔子站在那儿发呆。

端木赐跑了过去，把大家失散的情况说了一下，又转述刚才那位老人家的话。

“哈哈哈！说我像丧家犬……真是一点也没错啊！”孔子笑得有些苍凉。

端木赐不再多说，小心地扶着孔子回去和其他弟子会合。大家见到孔子，才放下悬着的一颗心。

休息一晚，第二天一早，孔子就派端木赐去见郑伯，请他让他们暂住一段时日。没想到郑伯连接见端木赐都不愿意，孔子一行人只好兼程前往陈国。

到了陈国，借住在主司城贞子的家。陈国小而弱，国君愍公年老无力整顿，朝廷上没有一个能干的臣子。孔子很想替陈愍公整治，可惜没人替他引荐，就怀着等待的心情住了下来。

住了一段时间，希望仍遥遥无期，直到吴国、楚国军队先后来攻打陈国，情况危急时，孔子才失望地对弟子说："走吧！我们还是回卫国去吧！"

孔子一行人走着走着，经过蒲地时，忽然杀出一群兵马，把他们团团围住，为首的人对他们大呼小叫。

"我是公孙戍，正要上卫国都城帝丘去取昏君的头。你们是什么人？是替昏君来打探消息的吗？快滚出来受死！"

"在下是鲁国孔仲尼，率弟子路过贵宝地，并不是来打探军情的……"孔子对公孙戍解释道。

"你就是孔仲尼！喔，就是卫君给你不少俸禄的那个……"

公孙戍很有意味地把孔子上下打量了一会儿后，说："我不相信你说的话！除非你发誓，不回帝丘说出我在这里招兵买马的事。"

公孙戍瞪着孔子，等着他回答。

"好吧！我发誓不提就是了。"孔子迫于无奈地说。

“还要三击掌[1]才算数！”公孙戌又威逼孔子说。

孔子不得已，只好与公孙戌三击掌为誓，公孙戌才高兴地带着小喽啰呼啸离去。

孔子他们一行人也不耽搁，立刻动身上路，唯恐公孙戌后悔。可是，走没多久，孔子忽然大叫：“停车！转回帝丘去！转回帝丘去！”

“什么？您说转回帝丘！我没听错吧？可是，老师您刚刚不是才答应公孙戌，不去帝丘报讯的吗？这会儿又说要去，岂不是要失信于人了？”端木赐小心地探询着孔子的真意。

“你们记住了，在威逼之下所做的任何约定都不算数。就算老天爷知道了，也不会怪罪我的。你们想想看，卫君给过我那么高的俸禄，我知道他有灾难，怎能不通报他呢？如果我连这点基本的做人道理都做不到，要凭什么去推行礼治呢？”孔子解释说。

弟子们都觉得孔子说得有道理，便赶紧掉头转向帝丘前进。

一到帝丘，孔子急匆匆地跑进宫中，向卫灵公报讯：“公孙戌在蒲地招兵买马，准备作乱……请当心。”

“哦，让他去胡搞吧！看他能搞出什么名堂来！”出乎意料的是，卫灵公竟然这样冷淡地响应。

原来卫灵公料准公孙戌在蒲地成不了什么气候；又暗中盘算着蒲地位于晋、楚交界处，一旦晋、楚有个风吹草动，夹在两国的蒲

1 古人双方击掌三次，表示约定或立成誓言。

地，正好可以有个缓冲，所以并不急着对付公孙戌。

孔子不知道卫灵公有此盘算，卫灵公也没有向孔子讲明。孔子只觉得自己好像用热脸去贴人家的冷屁股，心中非常懊恼，便立刻告退。

“如果有国君肯用我的话，一年就可以让国家上轨道，三年国家就可以大治了。”孔子回去后，不掩失望的心情，无奈地说着。

事隔不久，孔子带着弟子想到晋国去，可是在渡口准备搭船渡过黄河时，遇到晋国的邑宰阳进。他对孔子说：“我看您就别去晋国了。晋国的大夫赵鞅杀了鸣犊和舜华[1]两位贤臣，情况很不乐观，晋国上下人心惶惶。我就是因此才离开晋国，想到别国找寻贤德的国君……”

孔子听到这个消息，对弟子说：“赵鞅收留了鲁国叛臣阳虎，又杀了晋国的贤臣，以后还不知道要做多少坏事，我是不会与这种伤害同类的人为伍的！我们回卫国去吧！”

孔子说完后，转身望着黄河水，掩不住失望地叹息：“黄河啊，黄河，你的水一直滔滔地顺流，为何我的命运却这样多舛呢？”

这时候，赵鞅的家臣佛肸[2]谋反，占据了中牟邑。听说孔子在黄

1 鸣犊和舜华都是晋国的大夫，素有贤名。赵鞅还没得势时，靠着这两人的才能顺利推展政事，得势之后，却把两人杀了。孔子认为赵鞅这样做，就如同在伤害同类。

2 佛肸，音xi，原是赵鞅的家臣，受命担任中牟邑邑宰，见到赵鞅的所作所为，很不认同，就占据中牟邑，起兵叛变。

河渡口，准备到晋国，就派人来迎接孔子前去中牟协助他。

孔子听了，心动了，想要前往，弟子们个个面面相觑。

“老师，我听您说过，亲自做坏事的人，君子是不会落入他的圈套的。那佛肸是个家臣，招兵买马起来作乱，和赵鞅可说是一丘之貉。您为什么要去帮他？”仲由率先反对说。

“子路，你说得没错！但我也说过，如果够坚固，任人怎么磨都磨不薄；如果够清白，任人怎么染也染不黑。我总不能像匏瓜一样，只挂起来看，却不能吃也不能用吧？”孔子回答说。

“老师，鹤与乌鸦不同巢，鹿与狐不同穴，因为不是同类的缘故。老师您和佛肸也不是同一路的呀！请老师再考虑考虑吧！”连平日恭顺的颜渊也持反对意见。

“请老师三思呀！”端木赐、公良孺等人也说。

孔子想了一会儿，对弟子们说：“唉！你们说得对。这件事……我的确有些欠考虑，我是不该帮他的。”孔子说完，黯然地走开了。

几位弟子见到孔子的背影，知道这是孔子极想被重用，情急之下才做了这个决定。虽然大家都替孔子抱屈，可是局势这样，谁也无可奈何。

孔子再回到卫国，卫灵公又请人召见孔子，孔子燃起被用的希望前去。

“寡人想好好地整备一下军事，你可以告诉我一些练兵、布阵

的方法吗？”卫灵公问孔子。

“我只学过礼仪道德的事，不曾学过练兵、布阵……”孔子愣了一下回答说。

卫灵公变了脸色，一句话也没有再说。

孔子见卫灵公脸色不好，自己也不明白卫灵公为什么老是问他一些专精以外的事情，看来还是没有被重用的可能。于是，再度失望地告退。几天后，孔子又离开卫国，前往陈国。

鲁聘冉求回国做官

公元前492年，孔子在陈国听到季孙斯逝世的消息，原本以为回鲁国的最后希望灭绝了。但是出乎孔子意外的是，季孙斯在临死前，曾经乘坐马车游历中都城，见到中都城断垣残壁、景况萧条，刚闹火灾的鲁僖公庙和桓公庙更是一片漆黑冷落，街上饥民哀号，和之前孔子治理的繁荣景况，简直不能相比。

季孙斯回去后心情非常沉重，觉得自己罪恶深重，一时良心发现，特地把儿子季孙肥（季康子）叫到床前。

“我死后，你就是鲁国的宰相了，到时候一定要把流落在外的孔子找回来，让他好好整治咱们鲁国，让鲁国强盛……千万记住啊……”

“父亲放心吧！孩儿会想办法的。”季孙肥跪在床前答应着。

办完丧事，季孙肥依照父亲临终前的交代，想找孔子回来，就对鲁哀公说："主公，先父临死前，千叮咛、万嘱咐的，要我一定要找孔子回来。所以我想打听孔子的下落，请他回来主政，不知主公意下如何？"

"我听说，孔夫子当年因为劝谏先君不要接受齐国美女不成，愤而离开鲁国。如今不知流落在哪国，愿不愿意回来。"鲁哀公说。

"我老师在国外并不得志，应该会愿意回来才对！"孟孙何忌接口说。

"主公，鲁国并没有明令不准孔夫子回来，他随时都可以回来呀！可是他一直没有回来，一定对当年的事还耿耿于怀。为了避免难堪，不如召他的弟子冉求回来。冉求是孔子的得意门生，年轻有为，曾经担任过相国府的家臣，很有才华，可以放心的任用。"鲁国大夫公之鱼建议说。

"好吧！就依卿所奏，请季相国召冉求回来做官吧！"鲁哀公说。

孔子听说鲁国派使者来，心里七上八下，当然希望鲁国使者是来召他回国的。

"奉季孙肥季相国之命，召孔夫子的弟子冉求回国任官。"使者说。

孔子听完，心凉了半截，心想：离开鲁国多年了，心里的期待与思乡的情结一起都来纠缠着他。莫非是年岁已高，时运不济了吗？

但是转念又想：自古天下有谁能够不老呢！只要自己的信念可以传承下去，理想可以推展得开，也不一定要自己出马才行呀！弟子们受了自己的调教，了解自己的理念，由他们去推展，也可以把我的理想发扬光大，不是吗？于是，高高兴兴地邀请使者进屋，告诉冉求这个好消息。

鲁国使者对于孔子的豁达十分佩服。

冉求很快就准备回鲁国，临走前请教孔子："老师，相国要任用我，我要从哪里着手施政呢？"

"当然是先从让百姓能过温饱的日子开始呀！"孔子回答。

"弟子明白了。"冉求说。

几个弟子叮咛冉求说："回去如果时机合宜，要赶紧派人来接老师回国。"

"我会的。"冉求回答。

冉求上路后，孔子对于不能回国，流露出几分感伤。

"老师，您放心吧！冉师兄一定很快就接您回去的。"颜回安慰孔子说。

在陈、蔡绝粮，在楚国遇疯子

公元前490年，孔子离开陈国到蔡国去。

蔡国的大夫公孙翩杀了蔡昭公，独揽政权。隔一年，新立的蔡

成侯经过一年多，都没有要用孔子的意思，孔子便离开蔡国到叶国去了。

听说叶国公原是楚国的卿大夫，他僭号为“公”，违背周礼。所以，孔子很快便离开了叶，转往楚国。途中看到两个农夫并肩在田里耕种，孔子派仲由上前去问淮河的渡口所在。

“两位老人家请了，请问贵姓大名？”仲由施礼说。

“我叫长沮，他叫桀溺，你叫什么名字？”

“我叫仲由！”

“车上拿着缰绳的那个人是谁？”桀溺问。

“那是我的老师孔仲尼，他让我来请问两位，淮河的渡口在哪里？”仲由说。

“原来是孔仲尼呀！他不是无所不知吗？怎么会不知道渡口在哪里呢？”长沮说完，不再理会仲由，埋头继续耕种。

“现在天下像洪水乱流一样，到处都乱着，谁也没办法改变啊！你与其跟着你老师四处奔波、到处碰壁，还不如优闲地去过隐居生活，何必自讨苦吃呢？”桀溺说完，也和长沮一样继续耕种，同样没有告诉仲由渡口在哪里。

仲由回去生气地告诉孔子经过。孔子叹息说：“这是观念不同啊！就像鸟属于禽类，是无法与兽群居住在一起的！我们是人类，如果不和人亲近，要和谁亲近呢？他们和我们是不同道的人，作为当然也不会相同。他们选择明哲保身，我却认为这样并不是好的作为。如果天下有道，我也不必离乡背井、四处奔波去寻求改变了呀！正因为天下无道，百姓灾难连连，我才想尽办法要推行周礼！如果大家都去隐居了，要叫谁去推行周礼呢？”

“是啊！隐居的人只顾自己好，别人就不管了。”仲由附和着说。

孔子一行人继续向楚国前进，走到陈、蔡两国边界。楚昭王听说孔子要到楚国来，立刻派人迎接孔子。陈、蔡两国的文武百官听到消息，个个惊慌起来。

“主公，楚国是大国，势力向来就比我国强，如果请到孔子，更是如虎添翼，我们得赶快把孔夫子追回来才行！”陈国的大臣对陈愍公奏道。

“孔夫子在我国三年，我都没用他，现在因为别国要聘请他，我们就急着把他请回来，这样是不是太……”陈愍公有点犹豫。

“不如我们派一支人马去困住孔子，让他去不成楚国，只好乖乖地回到陈国来……”另一位大臣献计说。

“可是，孔夫子知道我们的作为之后，还会愿意回我国吗？”陈愍公说。

“主公放心！我们不打旗号，只派人困住他们，孔子不会知道是谁派去的人马。”另一位大臣回答。

“好吧！”陈愍公答应。

蔡国也和陈国的想法一样，同样派人来围困孔子，两帮人马在

孔子那里索性会合，大家心照不宣。

孔子一行人莫名其妙地被困了好几天，没有粮食、饮水，弟子一个个病倒，孔子自己也快撑不住了。但是孔子的毅力惊人，不被困难的环境击倒，他还是每天给弟子们讲课，并且弹琴安抚大家的心。

但是弟子们就不是这样了，个个都开始质疑起孔子的理想来了。仲由第一个问孔子说：“老师，我们又没做坏事，不应该有这样的困境才对呀！是不是老师的仁德不够、才智不足，所以别人不相信老师，不想照老师的主张行事？”

“子路啊！并不是所有有仁德的人都会得到好下场呀！你看伯夷、叔齐，他们都是有仁德的人，可最后不是饿死在首阳山吗？”

“是呀……”仲由语气稍微缓和了。

“那比干、伍子胥算不算有才智的人？”孔子问。

“当然算！”仲由回答。

“可是，比干被纣王挖心而死；伍子胥据理力劝吴王，因而获罪致死。”

“……”仲由没有说话。

“自古以来，贤德、智者不得好死的例子数不胜数啊！虽然如此，但……就好比那兰花，即使开在山野深谷里，也不改变它的本色，依然绽放飘香。一个有仁德的君子，就该像兰花一样，即使遇到穷困的环境，也不会变节才是！”孔子说。

“老师，弟子知道了。”仲由说完，低着头出去了。

孔子为了安抚弟子，让大家明白“安守逆境”的道理，就把端木赐叫进来开导。

“老师，是不是因为你的理想太高了，所以别人没办法接纳？如果老师放低标准，或许人们就可以接纳了。”端木赐说。

“子贡啊！会种田的农夫，不一定都能得到好的收获；有好技巧的工匠，也不一定做得出人人满意的成品；有道德、有理想的君子，不一定人人都能接纳啊！但是，如果因为别人不接纳，就不再修养道德，只求别人能接纳你，这样岂不是本末倒置，更不容易达到目的了吗？”孔子说。

端木赐听完也出去了，孔子又把颜回叫进来。

“老师的理想高，所以世俗没办法接纳。但是如果因为这样就不再坚持理想，那就错了。各国君侯不能接纳，是各国君侯的耻辱，老师还是应该要努力地推行周礼，这样才更能显出老师是个道德修养高的好君子呀！”颜回说。

“对呀！子渊，你不愧是个有仁德又有想法的人啊！哪天如果你有权有势了，我愿意做你家的管事。”

孔子没想到颜回能体会自己内心深处的想法，非常感动，激动地说出这样的话来。

到了第七天，更多学生病倒了，有的还发着高烧，孔子着急得不得了。这时，忽然听到外面一阵呐喊，一会儿又恢复平静，最后一支兵马进来，旗上写着斗大的“楚”字。

“孔夫子受惊了。我是楚国使者申功，奉楚王之命，迎接您到楚国。”

原来是楚将申功将陈、蔡两国的人马驱走，危急中救了孔子一行人。

孔子随申功到达淮河渡口时，遇到之前在黄河渡口认识的阳进。阳进看到孔子很是惊讶，急忙走过来向孔子施礼。

“这不是鲁国孔夫子吗？这么巧，又在这里遇到你！”

“你……你是晋国的阳进，真巧，真是巧极了！您这一向可好？可有找到施展抱负的地方？”孔子连忙回礼，觉得这样的巧合十分少有。

阳进苦笑着摇头，然后小声地说：“不瞒您说，现在天下都一样，都是重武轻义，我到过齐、鲁、吴、越、楚等国……没有一个国君是重礼义的贤君。”

孔子听说楚国也一样，心里又凉了半截。

到了楚国，楚昭王立刻召见孔子。

“寡人在位快要三十年了，现在虽然年老力衰，有病在身，但楚国现在的局势，让我无法放心地离开人世啊！听说孔夫子的道德学问高深，不知有没有什么好方法可以教我的？”楚昭王问孔子说。

“只要君侯明政令、定法规，并让卿大夫率先执行，相信很快就可以得民心。民心得到了，人心就和，人和，国家自然就富强了。”孔子简明扼要地说。

楚昭王和孔子谈得很愉快，孔子回去后，他立刻召见群臣说：“孔夫子真是个圣人！我想把千社这七百里地封给他……各位爱卿认为怎么样？”

“大王，楚国最初受周王分封时，不过封地五十里，文王、武王早期受封时，也只有百里地，如今却要封给孔子七百里地，这样实在不妥。孔子的确有才能，在鲁国的政绩卓越，更因为这样，不能不防啊！他的弟子人才出众的人很多，像那颜回是个辅佐君王的好人才，端木赐是个外交的好人才，仲由是领兵打仗的好人才。一旦封给孔子这块封地，经过他和弟子好好的经营、治理之后，恐怕会变成楚国的后患呀！他们都是外国人，一旦战争爆发，他们师徒会不会对楚国忠心不二，这点实在令人质疑！万一他们有二心，恐怕我楚国江山就要断送在他们师徒的手里。请大王三思！”楚国的令尹[1]子西[2]分析着。

楚昭王一听，觉得很有道理，他年纪大了，胆子却变小了，从此再也不提要用孔子的事了。

当年（公元前489年）7月，吴国攻伐陈国，楚昭王率兵救陈，不幸病死在城父。之后孔子在楚国受到排挤，臣子都是对他这位外来人士，采取“不信任”的态度。

于是，孔子只好离开楚国，回卫国去。孔子一行人走到楚国边界

1 令尹，春秋时代楚国的官名。

2 子西，楚平王的庶长子，楚昭王的异母哥哥。

的丘陵地时，遇到一群人正围着一个人议论着。那被围的人说话疯疯癫癫，穿着很邋遢，脚上蹬着一双草鞋。

“这个疯子又想干什么了？”其中一人对他指指点点地说。

“喂喂！听说他不是真疯，是假的唷！”另一个人说。

“对呀！他很有学问耶！是本地有名的贤人‘接舆’[1]……”第三个人说。

等到孔子一行人靠近人群时，接舆忽然就高声唱起歌来：

凤凰啊凤凰！
为什么你的德行败坏成这样呢？
过去的，就让它过去吧！
未来还有机会追求。
赶快停止吧！赶快停止！
这样的时局要去推行礼治，
实在很危险啊！很危险！

孔子一听，心中一凛，相信那个人不是疯子，他是在用歌词告诫孔子“不顾混乱的时局，执意出来推行礼治的危险”，急忙下车要来向那个人解释。可是，那人已经快速地离开，连影子也看不见了。

1 接舆，春秋时代楚国的贤人“陆通”，很有学问，但个性古怪，选择用装疯卖傻的方式来避世，国人都叫他“狂人”，意思就是疯子。

孔子觉得心中一阵郁闷难抒，也感到非常无奈。

高徒纷纷被聘

孔子回到卫国，照旧住在蘧瑗家。

这时卫灵公已经去世，遗言不准逆子蒯聩回来即位。大夫孔悝[1]趁势拥立灵公的孙子——蒯聩的儿子“辄”即位，是为卫出公。孔悝自己揽起实权，为了提升自己的地位与声望，派人来邀孔子为官。

“我已经六十多岁了，人老力衰，不适合做官了。”孔子推辞说。

“那……孔夫子可不可以由弟子中，挑出合适的人选来替孔悝大夫做事？”来人问。

“这倒是可行。我弟子中有一位从政的人才，名叫仲由，曾在鲁国相国府担任过家臣，有实际从政的经验，让他去做蒲邑邑宰，应该可以胜任。”孔子推荐仲由出任。

“多谢孔夫子成全！我现在就回复孔大夫这个好消息。”

“老师不想去，我也不去。”仲由耍起孩子脾气。

“子路，你听我说……我的体力已经大不如前，对于做官的事已经看得很开了。但我不是不打算再实现我的理想了，而是要让我调教出来的弟子——也就是你们，继续推行我的理想，这样和我亲自推行也是一样的呀！”孔子语重心长地说明。

1 悝，音Lǐ。孔悝的母亲是蒯聩的姐姐，蒯聩是孔悝的舅舅，卫出公是孔悝的表弟。

“弟子明白了，弟子去就是了。”仲由终于点头答应。

“老师，如果是您去卫国做官，第一件事做什么？”仲由问。

“正名分！”孔子说。

“老师，您也太迂腐了，卫国就是名分不正，您还要去替它正名分，这官怎么有办法做下去？”仲由直率地说。

“子路啊！你讲话太粗鲁无礼啦！一个人对于不知道的事，应该虚心存疑地请教，而不该胡乱反对才是。你要知道，名分不正则所说的话就不顺当，说话不顺当事情就做不成，事情做不成礼乐就兴不起来，礼乐兴不起来刑罚就不能适当合理，刑罚不能适当合理，人民就手足无措、不知道如何安身了。”孔子解释说。

“我明白了！老师，请原谅我的鲁莽无礼。我这次去做官，不知有什么需要注意的？”仲由又问。

“要重视礼，做人民的榜样。在上位的人如果重视礼，人民就容易差遣了。”孔子回答。

仲由再拜后告辞。

端木赐见仲由走远了，忽然问孔子说：“老师，如果您有块美玉，是要把它锁在柜子里，还是卖了它？”

“卖了呀！我一直在等识货的人来买呀！”孔子坦诚地说，“就怕岁月不饶人……等不及了呀！”

不久，孔悝大夫亲自来拜访孔子。

“多谢孔夫子推荐仲由给我，他真是个好人才，把蒲邑治理得很好。”

孔子听了，心中有三分得意，七分高兴。

“卫国现在还少一个典狱吏，不知孔夫子可不可以再推荐一个弟子出来担任？”孔悝大夫又向孔子请求人才。

“有一位弟子，名叫高柴，是齐国人，才能可以胜任。”

孔子爽快地说着，一面朗声叫高柴出来：“子羔，这位是孔悝大夫，他有意聘请你担任典狱吏，赶快过来拜见！”

“见过孔悝大夫！”高柴连忙施礼拜见。

孔悝见了高柴，吓了一大跳，没想到高柴的相貌如此丑陋，令人生厌。可是，声音却出奇地宏亮。孔悝心想：反正是孔子推荐的人准不会错。

就这样，高柴当了卫国的典狱吏。

不久，孔悝不得不对高柴刮目相看，他为百姓平反了许多冤案，做得有声有色，孔悝十分满意，孔子当然也与有荣焉。

不久，鲁国当时的相国季孙肥，忽然派人来请孔子的弟子端木赐，与他同去吴国应付难局。

原来公元前488年夏天，吴王夫差邀请鲁哀公到鄫[1]会盟，鲁国因为怕吴国的强势，答应每年向吴国献百牢[2]。

回国后舆论哗然，如果照约定献了，鲁国地位就如同降成吴国的

1 鄫：现在山东省鄄县的东边。

2 牢：祭祀用的牲畜。百牢是指牛、羊、猪各一百头。

附属国一样。所以，当吴国要求鲁国履行盟约的时候，季孙肥不敢单独前往，深怕再受屈辱。苦思了半天，想到孔子的弟子——能言善道的端木赐，一定能帮他解危，于是急忙捎信来请。

“老师，我去了要如何应对这样的状况？”端木赐问孔子。

“子贡，现在吴国主事的大宰伯嚭[1]，是个不讲究仁义的人，你就偏偏用仁义之道去与他应对……”孔子教了端木赐一些说辞。

端木赐和季孙肥到了吴国，见了伯嚭，双方坐定。

“请喝茶！请用点心！”伯嚭招待他们。

“好、好的……”季孙肥紧张又不知所措，说话有点打结。

“嗯，好茶！点心做得细致芬芳，真不愧是江南名品。”端木赐落落大方地说。

伯嚭看了一下端木赐，见他仪表不凡，话音纯正又爽朗，转头问季孙肥说：“季相国，请问这位是……”

“这位是孔子的弟子端木赐。”季孙肥介绍说。

“原来是端木赐先生，久仰大名！”伯嚭笑着施礼。

“哪里！伯嚭大人请了！”端木赐也起身回礼。

“咱们言归正传吧！季相国，咱们两国之前在鄫会盟，贵国答应每年向我国献百牢。但不知今年的，何时会送到？”伯嚭也不啰嗦，直接提问。

1 楚王杀了郄宛，郄宛的同伙伯氏一族逃了出来，后人伯嚭（伯州犁的孙子）当了吴国大宰，就处处与楚国作对。

“这个……”季孙肥局促不安，无法回答。

“伯嚭大人，这件事情恐怕您是弄错了。”端木赐赶紧接过话说，“吴国和鲁国都是周天子的诸侯，结盟修好为兄弟之邦，就该以礼相待，不动武力、和睦相处、互相扶助才是。吴国一向比鲁国富强，按理应该由富强的吴国扶助贫困的鲁国才对，怎么反倒要贫困的鲁国扶助富强的吴国。这样岂不是本末倒置了吗？”

伯嚭见端木赐说话稳健、条条是理，不由得对他另眼相看起来。但他不管端木赐说的什么礼啊义的，只冷冷地强调说：“端木先生你才错了，所谓弱肉强食，弱者向强者纳礼，自古都是如此呀！”

“伯嚭大人，历史上有更多的事件证实，推行仁德的国家，大都能长治久安；而想以武力压制天下的，看似强大，其实危机四伏，很少有维持长久的。何况鲁国礼义兼备，推行仁德不遗余力，向来是各国的表率。如果从礼义方面来说，鲁国才是强者，为何吴国不来向鲁国纳礼呢？”

“这……这么说，吴、鲁两国在鄫所立的盟约，贵国是不打算承认了？”伯嚭脸色一沉，站起身来冷硬地质问季孙肥。

季孙肥见了，浑身不对劲，脸色惨白，不知要如何应对。

“伯嚭大人，请问当日吴、鲁两国在鄫的会盟，目的可是为了修好？”端木赐语气平和地问。

“呃——当然……”伯嚭勉强地回答。

“既然如此，那就有劳伯嚭大人向吴王奏明，请他务必履行会

盟的目的。”

端木赐说完，起身告辞。季孙肥愣了一下，随即跟着端木赐离开。

伯嚭过了好一会儿，才回过神来，虽然十分生气，但心中还是非常佩服端木赐的机智与胆识，只好把经过禀告吴王。

端木赐回去后，把经过向孔子说了一遍，心中有些得意，就想知道，孔子对自己和另外两位得意的弟子，各有什么看法。于是问孔子说：“老师，子渊、子路和我三个人，各是什么样的人呢？”

“子渊是个有仁德的人，子路是个勇敢的人，你是一个聪明的人。”孔子想了一下回答说。

“这三种人有什么不同？”端木赐进一步问。

“有仁德的人保持乐观，勇敢的人无所畏惧，聪明的人不被迷惑。”

端木赐听了很高兴，就对孔子拍马屁说：“老师，那您就是兼具这三种特质的人喽！”

孔子瞪了端木赐一眼，表示并不嘉许他这样谄媚的话。

鲁邀回国

公元前485年，孔子六十六岁，孔子的侄子孔忠忽然来到卫国找孔子。

“叔叔，请您快回家吧！婶婶她……她快不行了。”孔忠流着泪催促着孔子回家。

“……”孔子一言不发。

“老师，快回国吧！”端木赐、公良孺等弟子也来劝。

“忠儿，我不能回去。当初我是受辱离开鲁国的，如果我不请自回，人家会怎么说我、怎么鄙弃我。如果鲁国不依礼来请我，我是不会回去的！你还是先回去吧！告诉夫人，我对不起她……她会了解的。”孔子说完，掉下了眼泪。

当初使孔子受辱的鲁定公和季孙斯两人，都已经先后过世，虽然物换星移、人事全非，但是“礼”还是要讲究的，孔子的尊严也是要顾的。

孔子何尝不想回去呢！离乡这么多年，又如此奔波，他早就想回去了，只是他绝对不能“不请自回”，所以每次推行理想不顺利，都是回到卫国去。

这点即使在面临与妻子生离死别，孔子还是要坚持的。虽然这么做让孔子难过万分，但最后他还是选择顾全大“礼”的体统，放弃小“我”。这是很多人做不到的。

弟子们见孔子这么坚决，也就不再说什么了。

孔忠回去后，当晚孔子一个人一会儿弹琴，一会儿击磬，琴磬凄凉悲伤，撩人心绪。正好有位挑柴的人经过后院，他停下脚步听了听，说：“这人好像有一肚子的委屈啊！他好像在说‘没有人了解我

呀！’没人了解就算了嘛！何必执迷不悟地折腾自己呢？这就好比过河时，如果河水浅，就撩起裤脚过了；如果河水深，索性穿着衣服涉水过去也无妨嘛！凡事顺其自然，何必非要去做那些做不到的事呢？”

孔子听到了，连忙循声来到后院找人，没想到那人早已离去了。孔子一肚子委屈无人可诉，站在空旷黑暗的后院里，显得更加孤寂悲凉了。

不久，家乡就传来孔子的夫人丌官氏病逝的消息。遗体葬在鲁国北门外的一块高地，那是孔子和弟子游览泗水时，孔子看中的墓地。

孔子又是一阵掩不住的伤心掉泪。

公元前484年春天，齐简公派兵攻伐鲁国。鲁国群臣听到消息，十分震惊，大家都想不出应付的方法。叔孙家与孟孙家都不愿意领兵出战，季孙家的封地就在齐、鲁边界，政权又操在季孙肥手中，不能推辞不出征。

这时有人毛遂自荐地说：“让我挂帅去迎战吧！”

季孙肥一看，说话的人正是冉求。

“子有，你真的有把握迎战齐国军队吗？”

“相国何不就让我试试，我一定会全力以赴。”冉求回答。

“好吧！就由你率领左师迎敌，千万要小心应战，鲁国安危全系在你手上啊！”季孙肥说。

冉求领命后，正好遇到孟孙何忌、叔孙州仇来打探情况。冉求用话激他们，两人听了就去典校他们两家的军队，由孟孙何忌的儿子孟孙彘[1]率领右师，与冉求所率的左师，一起迎战齐军。

孔子听到齐国攻打鲁国的消息，着急地在庭中来回踱步。

“战争一起，恐怕我鲁国六百多年历史的曲阜城，里面的古迹文物，都要被齐人掠夺一空了……”

“老师，别急！待我回鲁国打探消息，必要时可以向吴国搬救兵。”端木赐向孔子安慰说。

“太好了！子贡，你快去！一路要小心。”孔子稍为释怀地说。

端木赐刚回到鲁国，就听到冉求的军队将齐兵打败，但齐兵仍驻军等待救援。端木赐就直接进宫谒见鲁哀公，自愿要游说吴国来帮助鲁国，一面捎信给孔子，让孔子放心。

五月，端木赐说服吴国，派了五百辆兵车前来援助鲁国，大败齐军。这一次，鲁国一连串的危机能够得到化解，孔子的弟子居了大功。鲁哀公论公行赏，冉求居首功，备受瞩目。

“子有，你这些打仗的本事，都是谁教你的？”季孙肥问冉求。

“相国，不瞒您说，这些都是向我的老师孔夫子学的。”冉求回答说。

“依你看，孔夫子是个怎么样的人？”季孙肥问。

“他……是一个用起来很实用、连鬼神都找不到一丝缺点的

1 孟孙何忌的儿子，谥号“武”，人称“孟武伯”或“孟孺子泄”。

人，如果我很有钱，他也一点不会贪求或据为己有。我今天的成就，可以说都是靠他的栽培。”冉求既佩服又感激地说。

“寡人和相国想请孔夫子回国，你看如何？”鲁哀公说。

“那太好了！”冉求听了非常赞成。但立刻想到一件事，连忙提醒说：“不过，我的老师很重视礼的，若要请他回国，礼这方面千万不可忽略。”

季孙肥就把朝中几个声名狼藉的小人，包括公华、公林、公宾等人赶走，并亲自写了邀请函，雇了几辆马车，诚意地邀请孔子回国。

孔子高兴极了，欢欢喜喜地乘着马车，风风光光地回到阔别十四年的祖国。这一次，仲由和高柴继续留在卫国做官，没有和孔子一起回来。

发愤教学著述的晚年

专心教学、著述

孔子六十七岁，回到鲁国，立刻去拜见鲁哀公和季孙肥。

“怎样才能治理好国家？”鲁哀公一见面就请教。

“提拔正直的君子，废除邪恶的小人。”孔子回答。

“现在国内的小偷猖獗，该怎么办呢？”季孙肥问。

“小偷要用教化的，不是靠刑罚治理的。”孔子回答。

“听说您以前不到三个月，就让中都城里的小偷绝迹。现在是不是也能照样办到呢？”季孙肥问。

“相国，此一时，彼一时呀！以前爱读书的人多，多数人都有羞耻之心，所以小偷少而好教化。如今人民长久处在穷困潦倒的环境中，读书的人更少了，起盗心的人更难教化了，得花更多的时间来教化，才会慢慢改善。”孔子说。

“相国打算怎么用孔夫子？”孔子走后，鲁哀公问季孙肥。

“我不用他！”季孙肥回答。

“什么？你不是说，令尊大人百般地叮嘱要用他吗？怎么现在又不用他了呢？”鲁哀公不解地问。

“不错，我父亲的确这样嘱咐过。不过，我看孔夫子大概是年纪大了，失去以往的魄力和雄心了。”季孙肥回答说。

季孙肥虽然这样说，其实心中是对孔子批评现在的社会大不如从前，心中觉得很不高兴，就不管父亲的遗言，挟怨济私，扫除异己了。

“专程请他回来却不用他，这样会让人评论的。”鲁哀公有所顾忌地说。

“孔夫子在国外流落了十几年，也没听说过有谁用他呀！主公如果不放心，我们就启用孔夫子的弟子，他的弟子人才众多，这样不就两全其美了。”

“就照相国的意思做吧！”鲁哀公只好同意说。

鲁国此后不曾再聘用过孔子。其实，这点对孔子已经没有任何影响了。因为孔子在卫国的时候，就有了体认，也不想再做官了。原有的理想抱负，也已经转移给他出色、出仕的弟子们去展现了。

“我现在要做的，就是用仅有的生命，努力从事教育、撰述《春秋》[1]，以及删订整理《诗》《书》《礼》《乐》《易》等经书，甚至可

1 孔子所撰述的书，内容是依据鲁国史料编订而成的史书，是后代编年史的始祖。

以用删订整理好的数据作为我上课的教材。”孔子对自己说着。

不久，曾点把他的儿子带来，对孔子说：“老师，这是我儿子曾参[1]，今年二十一岁，请您收他为徒。”

“拜见老师。”曾参俯身叩拜。

“哈哈哈！十多年前，我收了颜繇父子档为徒，没想到现在又收了你们父子档！也算我们有缘，你以后要好好学习。快起来！”

不到半年的时间，曾参就有很大的进步，孔子观察他不但博学，而且旁征博引、触类旁通，很能发挥所学，因此很欣赏他。

爱子、爱徒相继去世

公元前481年春天，叔孙大夫家的家臣鉏商，在鲁国西郊大野[2]打猎时，捕到了一只奇兽。那只奇兽已经死了，外表看起来像鹿，但全身却披满鳞甲，头上只有一只角，尾巴却像牛。大家都不知道这是什么兽，议论纷纷。

鉏商以为是不吉祥的动物，派人请问孔子。

“这是麒麟。”孔子过来一看，一眼就说出奇兽的名称，他继续说道，“麒麟是太平时代才会出现的瑞兽，现在它死了，代表太平时

孔子自己说过，后人会夸奖我或贬损我，都会是因为这本书。

1 曾参：字子舆，孔伋的老师，著有《大学》一书。

2 高平巨野县东北的大泽。

代就要结束了……请问，可不可以把麒麟送给我？”孔子请求说。

“我本想把它送给在这里管山林川泽的官，既然您要就给您好了。”鉏商回答说。

“莫非所行的道已经到尽头了？”孔子回程时，捧着麒麟，一路心有所感地叨念着。

“麒麟是兽中最祥瑞的，就像圣人在人群中一样，难道……难道这是孔夫子要死的预兆吗？”沿途听到的人都流传着这样的说法。

麒麟死后不久，老天爷就开始夺走孔子身边的亲人和弟子，更让这个传言绘声绘影起来。

首先是孔子的独子孔鲤过世，孔子白发人送黑发人，悲伤自不在话下。幸好孔鲤几年前生下孔伋[1]，得以继承了孔家的香火。

接着是孔子的弟子冉耕过世。冉耕染上麻风病，在当时是无药可救的病。

然后是颜回——孔子最疼爱的弟子过世。

颜回的家境贫穷，一向身体瘦弱，死时才二十九岁。孔子知道后，悲痛到极点，大哭着说：“老天爷啊！您这不是想要我的命吗？您这不是想要我的命吗？”

之后，孔子大病了一场。

可是，老天爷并没有停止它的“夺命行动”。公元前480年冬天，

1 孔伋，字子思，孔子的孙子，拜曾参为师，著有《中庸》。

卫国传来仲由的死讯。

原来是逃到晋国的卫公子蒯聩，得到晋国赵鞅的帮忙，率兵回到卫国夺位成功，即位为卫庄公，卫出公“辄”出走，逃到齐国。

卫国发生政变时，孔子就一直担心仲由和高柴两位弟子的安危，因为他们都在为孔悝大夫做事。高柴还好，孔子最担心的是仲由，怕他个性鲁莽率直，无法逃离危难，心中一直忐忑不安。

果然不久，坏消息就传来了。

“老师，子路师兄……被乱军……剁成肉酱了。”高柴说。

“你说什么？子路……子路……我的爱徒啊！”

孔子虽然有了预感，但还是止不住听到消息后的震惊。他连忙叫人把家里的肉酱全倒了，从此再也不忍心吃肉酱了。

孔子虽然常常骂仲由，其实心里是很喜欢他这种憨直的个性。仲由对孔子也是言听计从、十分尊敬的，两人四十多年来除了师生情谊之外，还多了一层好朋友的关系。

“好！以后我就拜你为师……”

“老师，快换衣服吧！没时间了！”

“老师，你怎么能去见南子……”

“老师，您不能帮佛肸……”

四十多年来，仲由与孔子相处的每一刻，此时都在孔子的眼前萦绕，那情景历历在目，令人难以忘怀。

“我的好友啊……”孔子悲伤地呼叫。

接连的打击，让坚强的孔子也支撑不住而大病一场。

死前七日的悲呼

公元前479年，孔子躺在病床上，奄奄一息，已经好多天了。四月时，端木赐来看孔子，孔子忽然醒了，对端木赐说："子贡呀！我快要死了……"

"不会的！老师，您别想那么多，好好调养身子要紧。"虽然端木赐心里有数，还是勉强地安慰孔子。

"是真的！我……我梦见我坐在两阶之间……"孔子认真却无力地说。

"什么两阶之间？"端木赐不解地问。

"夏朝人死时，棺木停在东阶；周朝人死时，棺木停在西阶；商朝人死时，棺木停在两阶之间。我、我的先祖是商人，我梦见我就坐在两阶之间，受人祭祀……没错，一定是我、我快要死了……"孔子虚弱地说。

端木赐听了，眼泪忍不住掉了下来。他知道孔子做事一向都有他的根据，不是胡说八道的人。自己其实并不想听到这样的讯息，可是又没有其他的说辞，可以驳斥孔子的说法。

忽然，又有一天，端木赐听到孔子断断续续地唱着：

泰山要倒……倒了!

梁柱要断……断了!

聪明才智的人啊!

也……也要像草木一样,

枯……萎……了……

七天之后,孔子与世长辞,享年七十二岁。

家人非常伤心,把他葬在泗水边,与孔夫人丌官氏葬在一起。孔子的弟子几乎都回来为孔子守丧,少则守一年,一般都守三年,端木赐守得最久,一共守了六年。

日后前来祭拜的人不计其数,不单只有孔子的家人、弟子,还有许多读书人、鲁国人,以及一些慕名而来的他国人。

孔子的部分弟子和鲁国人,因为对孔子的仰慕与怀念,索性搬到孔子墓地附近长期住下,形成"孔里",占地约一顷,他们每年按时祭祀,从不间断。

一些骚人墨客,也不时来这里讲学、举行会谈。

有人带着树苗、花草,在孔里附近种下,后来长成古树、异草,人称"孔林"。

不只如此,大家还把孔子的住家改成庙宇,就是最早的"孔子庙",里面陈列了孔子的遗物,包括孔子穿过的衣帽、读过的书、弹过的琴、坐过的车等,让大家一起来缅怀他。

孔子的行为与思想，受历代君王与众多人民的尊崇，影响后世非常大。历代的君王从汉武帝起，对于孔子的学说（儒家学说）都极为尊崇，被尊为“至圣先师”。

孔子重要记事

年份	事件
公元前551年	孔子诞生。
前537年	鲁国的贡赋四分，三桓权势凌驾鲁公。
前533年	娶妻宋国女子丌官氏。
前532年	儿子孔鲤出生，出任孟孙大夫家的仓储、粮税的委吏。
前531年	出任孟孙大夫家管牛羊的乘田吏。
前528年	母亲去世。
前525年	向郯子请教官制。
前523年	向师襄学琴，着手创立私学。
前518年	到洛阳学礼，向老子问礼。
前517年	鲁国内乱，昭公出走，孔子离开鲁国到齐国。
前514年	向苌弘请教乐理。由齐国回鲁，名声日盛，学生渐增。
前502年	阳虎为乱。
前501年	出任中都邑宰。
前500年	出任大司空、大司寇，夹谷会盟。
前498年	拆低三桓都邑的城墙。
前496年	齐国献美女，孔子辞官，离开鲁国，开始周游列国。
前492年	学生冉求回国任官。

前485年	妻子亓官氏去世。
前484年	返回鲁国，专心《诗》、《书》、《礼》、《乐》等书的删定。
前481年	《春秋》一书完成，叔孙大夫家猎到麒麟。
前480年	仲由战死。
前479年	孔子逝世。